LE GOUVERNEMENT SECRET

Milton William Cooper

suivi de

OPÉRATION « CHEVAL DE TROIE »

anonyme

Louise Courteau, éditrice
C.P. 481 Lac Saint-Louis Est
Saint-Zénon, Québec. Canada
J0K 3N0

Traduction : André Léonard Glen

Typographie : CompoMagny

1ère édition : décembre 1989
2e édition : mai 1990
3e édition : avril 1991
4e édition : janvier 1995
5e édition : juin 1999

Dépôt légal : deuxième trimestre 1999
Bibliothèque nationale du Québec
Bibliothèque nationale du Canada

ISBN : 2-89239-218-7

LE GOUVERNEMENT SECRET

L'origine, l'identité et le but
de MJ-12

par
Milton William Cooper

THE SECRET GOVERNMENT
The Origin, Identity, and Purpose of MJ-12

By Milton William Cooper
May 23,1989

N.D.T. :

Extra-terrestre (n. et adj.) :

Terme générique désignant les habitants d'autres planètes que la Terre. Étant donné l'origine indéterminée de certaines espèces, il s'est avéré utile de créer des néologismes dotés d'un sens plus général comme le vocable anglais « alien », d'autant plus que le terme « extra-terrestre » risque de s'appliquer à contre-sens à des entités établies à l'intérieur de la Terre et qu'il conviendrait alors d'appeler plutôt « intra-terrestres ».

Extranéen (n. et adj.) :

Néologisme créé à partir du latin « extraneus » (étranger) et désignant tout être ou toute réalité qui n'appartient pas à la culture humaine.

Aliénigène (n. et adj.) :

Néologisme créé à partir du latin « alienigenus » (qui appartient à une autre race) et désignant tout être dont l'origine et le développement ne correspondent pas à ceux des races évolutionnaires de l'humanité terrestre.

Au cours des années qui suivirent la Seconde Guerre mondiale, le gouvernement des États-Unis fut confronté à une série d'événements qui allaient, au-delà de toute prévision, changer son avenir et, avec lui, celui de l'humanité entière. Ces événements étaient si invraisemblables qu'ils défiaient toute crédibilité. Le président Truman et son cabinet furent si stupéfiés qu'ils se trouvèrent virtuellement impuissants à leur faire face, alors que le pays venait tout juste de traverser la guerre la plus dévastatrice et la plus coûteuse de l'Histoire. Les États-Unis avaient gagné la course à l'armement nucléaire. Depuis qu'elle avait mis au point et même utilisé la bombe atomique, cette nation se retrouvait la seule au monde à posséder une arme dont la puissance pouvait réduire à néant tous ses ennemis et la planète elle-même. C'était une époque de grande prospérité pour les Américains. Leur avance technologique et leur économie florissante leur offrait un enviable standing de vie. Ils exerçaient une influence mondiale et déployaient la force militaire la plus vaste et la plus puissante de l'Histoire. On peut donc aisément imaginer la consternation et l'inquiétude de l'élite gouvernementale quand celle-ci fut informée de l'écrasement, dans le désert du Nouveau-Mexique, d'un astronef piloté par des êtres à l'apparence d'insectes et de provenance absolument inconnue.

De janvier 1947 à décembre 1952, pas moins de 16 astronefs s'écrasèrent ou furent descendus, sans compter celui qui avait explosé dans les airs et dont rien n'avait pu être récupéré. On en retira 65 corps et un être vivant. Hormis l'appareil qui s'était désintégré dans l'atmosphère, treize de ces incidents se produisirent sur le territoire américain, dont l'un en Arizona, onze au Nouveau-Mexique et un au Névada. L'un des trois autres écrasements eut lieu en Norvège et deux au Mexique. Les apparitions se firent si nombreuses qu'il devint impossible de compter sur les services de renseignements existants pour effectuer une enquête sérieuse des témoignages probants ou démentir les affabulations.

Un appareil fut découvert le 13 février 1948 sur une mésa près d'Aztec au Nouveau-Mexique et un autre le 25 mars suivant dans le canyon Hart non loin de la même ville. Au total, 17 corps furent extraits des deux appareils en forme de disque d'un diamètre supérieur à 30 m. Mais l'élément le plus intrigant fut la découverte, à l'intérieur des deux astronefs, d'une importante banque d'organes, de toute évidence prélevés sur des êtres humains. Un sentiment de paranoïa s'empara rapidement de tous ceux qui étaient « dans le secret » quand ils comprirent qu'un démon venait de leur dévoiler sa face monstrueuse. Aussitôt, l'affaire fut classifiée « plus qu'ultra-secrète » et scellée dans un coffre de sûreté fermé à double tour. Même le projet Manhattan ne s'était pas vu imposer un tel silence pour sa sécurité. Ces événements allaient constituer par la suite le secret le mieux gardé de toute l'Histoire de l'humanité.

En décembre 1947 fut mis sur pied le projet SIGN (« Signe »), lequel réunissait les hommes de sciences les plus éminents d'Amérique pour étudier cette sordide affaire dans le plus complet mystère. Il se métamorphosa et, en décembre 1948, devint le projet GRUDGE (« Rancune »). Une branche de celui-ci fut bientôt créée sous le nom de BLUE BOOK (« Livre bleu ») dans le but de diffuser des informations anodines et surtout biaisées. Seize volumes allaient sortir de ce projet, dont le controversé « Grudge 13 » que Bill English et moi-même avons lu et révélé au public. Les Équipes BLEUES furent formées pour repérer les astronefs écrasés et en récupérer les passagers, tant morts que vivants. Plus tard, sous le projet POUNCE (« Ruée »), celles-ci devinrent les Équipes ALPHA.

Durant ces premières années, l'Armée de l'air des États-Unis et la CIA exerçaient un contrôle absolue sur le secret de cette affaire. En fait, la CIA avait d'abord été créée par décret présidentiel en tant que « Groupe central de renseignements » pour s'occuper expressément du problème de la présence extranéenne. Par la suite, l'Acte de sécurité nationale fut voté et promut ce groupe au titre d'« Agence centrale de renseignements ». Le

« Conseil de sécurité nationale » fut établi pour superviser les organes de renseignements et spécialement ceux qui étaient rattachés à la question extranéenne. Une série d'ordres et de mémos émanant de ce Conseil libéra peu à peu la CIA des limites de ce seul domaine et, lentement mais sûrement, finit par « légaliser » son action directe dans les affaires intérieures et extérieures sous le couvert d'activités quelconques.

Le 9 décembre 1947, à la demande pressante des secrétaires Marshall, Forrestal et Patterson, ainsi qu'à celle de Kennan, directeur du personnel des politiques de planification au Département d'État, le président Truman approuva le rapport NSC 4 concernant la « coordination des mesures d'information sur les services de renseignements étrangers ».

À la page 49 du livre 1 du « Rapport final de la Commission d'enquête sur les opérations gouvernementales reliées aux activités de renseignements » – Sénat américain, 94e conférence, 2e session, rapport No 94755, 26 avril 1976 –, le service des renseignements étrangers et militaires cite : « Cette directive a donné au secrétaire d'État le pouvoir de coordonner les activités de renseignements destinées à combattre le communisme outre-mer. NSC 4A – une annexe ultra-secrète de NSC 4 – autorisait donc la CIA à mener des opérations voilées, mais cette autorisation initiale ne définissait aucune procédure formelle quant à la coordination ou à l'approbation de ces opérations. L'annexe ne faisait qu'indiquer au directeur qu'il pouvait « entreprendre des actions indirectes s'il s'assurait, en liaison avec l'État et la Défense, que ces opérations étaient conformes aux politiques américaines. »

NSC 4 et NSC 4A furent plus tard amendés sous NSC 10/1 et NSC 10/2 qui accordaient des possibilités de couverture encore plus étendues, ce que prévoyait aussi la charte du Bureau de coordination des politiques (OPC). Ces deux articles allaient jusqu'à valider des pratiques illégales et des procédés en marge de la loi, pour autant que les responsables de la sécurité nationale en conviennent.

La réaction ne se fit pas attendre. Aux yeux du personnel des renseignements, « tous les coups étaient bons ». NSC 10/1 permit la création d'un comité exécutif de coordination ayant pour fonction de réviser les propositions des projets secrets mais n'ayant pas mandat de les approuver. Ce groupe avait aussi pour tâche secrète de coordonner les projets concernant les aliénigènes. Les directives des NSC 10 donnèrent lieu à une interprétation particulière du rôle des gouvernants. Elles semblaient sous-entendre, en effet, que ceux-ci préféraient n'être mis au courant de rien avant que les opérations n'aient été accomplies avec succès. Une zone tampon s'installa donc entre le président et l'information. Si jamais des fuites venaient à divulguer le véritable état des choses, le président serait donc automatiquement couvert par sa méconnaissance des faits et se trouverait ainsi à l'abri de toute accusation. Mais, avec les années, ce tampon servit à tenir les présidents successifs dans l'ignorance la plus complète au sujet de la présence extranéenne ou, tout au moins, permit au gouvernement secret et aux agences de renseignements de filtrer les informations qu'ils voulaient bien leur transmettre. NSC 10 établit un comité d'étude formé de sommités scientifiques qui se réunissaient en secret. Ce comité ne fut pas appelé MJ-12. Les grandes lignes de ses fonctions furent stipulées dans NSC 10/15, un autre mémo de la série NSC dont les ordres secrets préparèrent la venue en scène de MJ-12 quatre ans plus tard.

James Forrestal, le secrétaire à la Défense, commença à s'objecter au maintien du secret. Son grand idéalisme et sa ferveur religieuse l'amenèrent à pencher en faveur d'une diffusion publique de l'information ; mais, dès qu'il eut parlé du problème extranéen aux leaders de l'Opposition et à ceux du Congrès, Truman exigea sa démission. Forrestal exprima à plusieurs personnes ses craintes à cet égard ainsi que son sentiment d'être surveillé. Il avait raison mais les autres ne connaissaient pas ces faits. Aussi interprétèrent-ils ses inquiétudes comme de la paranoïa. On prétendit plus tard qu'il avait dû être admis au Centre médical de la Marine à Bethesda pour cause de troubles mentaux. En réalité, Forrestal avait été interné pour être isolé et discrédité parce que l'on craignait qu'il n'ébruite la chose. C'est pourquoi, tôt le matin du 22 mai 1949, des agents de la CIA se rendirent à sa chambre au seizième étage, nouèrent le coin d'un drap autour de son cou, en attachèrent l'autre bout au plafonnier et le jetèrent par la fenêtre. Le drap se déchira et Forrestal Plongea dans la mort, devenant l'une des premières victimes de la conspiration du silence.

Le passager qui était sorti vivant de l'écrasement d'un astronef à Roswell en 1949 fut nommé E.B.E., monogramme formé d'après la désignation proposée par le professeur Vannever Bush et signifiant « entité biologique extra-terrestre ». E.B.E. avait tendance à mentir ou à répondre à sa guise. On l'interrogea en vain pendant plus d'un an. Il préférait s'abstenir plutôt que de donner une réponse concluante. Il ne commença à s'ouvrir qu'à partir de sa deuxième année de captivité. L'information qu'il livra alors est pour le moins saisissante. Celle-ci fut compilée dans ce qui est devenu par la suite le YELLOW BOOK (« Livre jaune »). Bill English et moi-même avons vu, entre autres, les photos d'E.B.E. qui parurent des années plus tard dans Grudge 13.

Vers la fin de 1951, E.B.E. tomba malade. Le personnel médical fut impuissant à établir un diagnostic puisque, d'une part, il ne possédait pas d'antécédents sur lesquels se baser pour le traiter et que, d'autre part, l'organisme d'E.B.E. transformait les éléments nutritifs en énergie par photosynthèse, à la manière des plantes, à partir de la chlorophylle, et rejetait aussi les déchets par la peau. On fit donc appel à un botaniste, le professeur Guillermo Mendoza, pour le soigner et l'aider à se rétablir. Pendant les quelque six mois qui suivirent, le professeur Mendoza s'efforça vainement de le sauver. Au milieu de l'année 1952, E.B.E. mourut, et le professeur Mendoza devint entre-temps l'unique spécialiste en matière de biologie extranéenne.

Les États-Unis avaient désespérément tenté de sauver E.B.E. pour gagner la faveur de ses congénères technologiquement supérieurs en commençant au début de 1952, à émettre un appel de détresse vers les vastes espaces sidéraux. Ils ne reçurent aucune réponse mais, étant néanmoins de bonne foi, ils poursuivirent ce projet.

Par un décret-loi secret du 4 novembre 1952, le président Truman créa la très secrète Agence de sécurité nationale (NSA).

Celle-ci avait pour objectif premier de décoder le langage des aliénigènes en vue d'établir un dialogue avec eux. Cette tâche des plus urgentes s'inscrivait dans la suite des précédents efforts et reçut, comme nom de code, SIGMA. L'objectif second de la NSA consistait à surveiller toute communication émise par n'importe quel appareil et provenant de n'importe où sur terre, et ce dans le but de recueillir tout renseignement, tant humain qu'aliénigène, et de préserver le secret de la présence extranéenne. Le projet Sigma fut fructueux. La NSA maintient aussi, de nos jours, des communications avec la base LUNA et d'autres programmes spatiaux secrets. Par décret-loi, la NSA est au-dessus de toute loi qui ne spécifie pas nommément qu'elle est sujette aux prévisions de ladite loi. Cela signifie que, si le nom de cette agence n'est pas écrit dans le texte de l'une ou l'autre loi votée par le Congrès, la NSA n'est pas concernée par cette loi. De plus, la NSA remplit beaucoup d'autres fonctions qui, en fait, la situent en tête des agences de renseignements. De nos jours, la NSA se voit octroyer 75 % des sommes allouées à l'ensemble des services de renseignements. Un vieux dicton dit avec raison : « Où va l'argent va le pouvoir ». Le directeur de la Centrale de renseignements, quant à lui, n'est plus aujourd'hui qu'un homme de paille maintenu en poste pour berner la population. La fonction première de la NSA vise encore les communications avec les aliénigènes, mais elle s'est maintenant accrue de d'autres projets en liaison avec eux.

Le président Truman avait tenu nos alliés – y compris l'Union soviétique – au courant des développements de la situation depuis l'incident de Roswell. Il avait agi ainsi de peur que les aliénigènes ne se révèlent menaçants pour l'espèce humaine. On avait même dressé des plans de défense unifiée en cas d'invasion planétaire, mais il s'avéra difficile de garder un projet d'envergure internationale à l'abri de la curiosité normale des journalistes à l'égard des gouvernements. On jugea donc nécessaire de confier à une section indépendante le soin de coordonner et de contrôler les efforts internationaux. C'est ainsi qu'on décida de former une société secrète, dite des BILDERBURGERS, dont le quartier général serait situé à Genève en Suisse. Les

Bilderburgers se sont transformés en un gouvernement mondial secret qui contrôle maintenant absolument tout. Les Nations unies d'alors – comme de nos jours, d'ailleurs – ne sont qu'une farce monumentale à l'échelle internationale.

En 1953, la Maison blanche accueillit un nouveau président, un chef militaire entraîné au commandement des hommes selon des structures hiérarchiques. Habitué de déléguer l'autorité, il préférait gouverner en s'entourant de comités et ne prenait par lui-même une décision majeure que si ses conseillers étaient incapables d'en arriver à un consensus. Sa méthode habituelle consistait à envisager d'abord toutes les alternatives en lisant tous les documents et en écoutant tous les avis concernant une affaire, puis à trancher la question en approuvant l'une ou l'autre des multiples propositions. Ses proches collaborateurs ont relaté que son mot d'ordre se résumait le plus souvent à donner carte blanche dans des termes qui revenaient à dire que « la fin justifie les moyens ». Il passait le plus clair de son temps sur les parcours de golf, ce qui n'a rien d'inusité pour un ex-officier de carrière qui s'était élevé durant la dernière guerre au grade ultime de Commandant suprême des forces alliées. Ce président était le généralissime à cinq étoiles de l'Armée américaine Dwight David Eisenhower.

Au cours de l'année 1953 – sa première en poste –, une dizaine d'écrasements d'astronefs furent signalés, dont quatre en Arizona, deux au Texas, un au Nouveau-Mexique, un en Louisiane, un au Montana et un en Afrique du Sud, sans compter des centaines d'apparitions. Des trente aliénigènes qui furent récupérés, quatre étaient encore en vie.

Eisenhower comprit qu'il lui faudrait s'attaquer au problème extranéen et arriver à le résoudre seul, sans devoir le révéler au Congrès. C'est pourquoi, au début de 1953, le nouveau président se tourna vers Nelson Rockefeller, son ami et collègue au Conseil des relations étrangères, et lui confia la tâche d'ébaucher la structure d'une section secrète qui aurait pour mission de superviser l'ensemble des intervenants reliés au phénomène extranéen. C'est ainsi que fut conçue l'idée de MJ-12, qui allait prendre corps un an plus tard.

En requérant les services de Rockefeller pour s'occuper de la question extranéenne, Eisenhower commit la plus grande bévue de sa carrière, une erreur capitale pour l'avenir des États-Unis et, fort probablement, du monde entier. Sans doute se sentait-il redevable non seulement envers la famille de Nelson mais envers tout le clan Rockefeller, qui l'avait fortement appuyé lors des élections, car c'est Winthrop Aldrich, l'oncle de Nelson, qui avait joué le rôle le plus important en réussissant à convaincre Ike de briguer les suffrages à la présidence des États-Unis.

Moins d'une semaine après son élection, Eisenhower nomma Nelson Rockefeller président d'un comité consultatif présidentiel sur l'organisation du gouvernement. Ce dernier était donc responsable de planifier la réorganisation de l'Administration. Les programmes de réforme furent cumulés en un seul portefeuille et représentés au Cabinet sous le nom de ministère de la Santé, de l'Éducation et du Bien-être. Quand cette nouvelle fonction fut approuvée par le Congrès en avril 1953, Rockefeller se vit assigner le poste de sous-secrétaire d'Orveta Culp Hobby.

Ce fut au cours de cette même année que des astronomes repérèrent dans l'espace des objets de grande dimension se déplaçant en direction de la Terre. Ils les avaient d'abord pris pour des astéroïdes mais l'évidence s'imposa bientôt qu'il ne pouvait s'agir que de vaisseaux spatiaux. Les radios du projet Sigma réussirent à intercepter les communications transmises entre les astronefs, mais nul ne put décoder les intentions réelles des équipages de ces immenses et nombreux vaisseaux qui, en arrivant à proximité de la Terre, se placèrent sur orbite à très haute altitude autour de l'équateur. Toutefois, les responsables du projet Sigma, de concert avec ceux du nouveau projet Platon – lequel avait mission d'établir des relations diplomatiques avec les étrangers d'outre-espace –, mirent au point un système de signaux basé sur le langage binaire des ordinateurs et purent ainsi établir un dialogue avec ces voyageurs de l'espace en provenance d'une autre planète. Leur atterrissage fut convenu et donna lieu à une première rencontre officielle « du troisième type ».

Entre-temps, des extranéens d'une autre race – d'apparence humaine, celle-là – avaient pris contact avec le gouvernement américain pour le mettre en garde contre les initiatives de ces nouveaux arrivants. Quant à eux, ils lui avaient plutôt offert d'aider l'humanité dans son développement spirituel mais, pour ce faire, ils avaient exigé du gouvernement qu'il commençât par démanteler son arsenal nucléaire. Ils avaient en outre refusé tout marchandage technologique avec lui en raison de l'immaturité morale dont nous faisions manifestement preuve à l'égard des inventions que nous possédions déjà, puisque nous ne cherchions toujours à nous en servir que pour détruire. À les croire, nous avancions à grands pas vers notre propre destruction et il était temps que nous cessions de nous entre-tuer, de polluer notre planète et d'en dilapider les richesses naturelles. Au contraire, il était urgent que nous apprenions à vivre en harmonie les uns avec les autres.

C'est avec une extrême suspicion que les gouvernants avaient daigné écouter ces conditions, spécialement celle qui concernait le désarmement nucléaire, car, dussent-ils s'y résoudre, ils craignaient de se retrouver démunis face à une éventuelle attaque extranéenne. D'un autre côté, leur décision avait été d'autant plus difficile à prendre qu'ils ne pouvaient s'appuyer sur aucun précédent historique. En fin de compte, ils avaient estimé que le désarmement nucléaire ne constituait pas une solution favorable. Aussi, dans le plus grand intérêt des États-Unis, avaient-ils rejeté ces ouvertures de conciliation.

Ils avaient donc préféré négocier avec ceux qui attendaient en orbite autour de la Terre, des êtres avec la peau grise et la bouche en forme de museau qui allaient finalement posé leurs astronefs à la base aérienne d'Holloman un peu plus tard au cours de l'année 1954. Ces aliénigènes prétendaient venir d'une planète située dans le système de la constellation d'Orion dont le soleil correspond à l'étoile rouge que nous désignons sous le nom de Bételgeuse. Ils affirmaient que leur planète était à l'agonie et que, dans un avenir plus ou moins rapproché, elle allait devenir impropre à leur survie.

Au terme de cette première visite, ils s'entendirent avec le gouvernement américain pour rédiger un traité dont les détails seraient discutés lors d'une rencontre ultérieure. L'événement historique fut soigneusement planifié et, comme sa tenue avait été fixée à la base aérienne d'Edwards en Californie, Eisenhower s'arrangea pour être en vacances au même moment à Palm Springs. Au jour convenu, le président prétexta une visite chez le dentiste pour esquiver les journalistes et se rendre en catimini à un rendez-vous plus insolite.

Le premier ambassadeur interplanétaire à avoir jamais été reçu par notre État fut présenté comme étant « Son Altesse toute-puissante Krlll » (prononcer Krill). Un titre aussi pompeux ne pouvait que provoquer les sarcasmes des Américains qui, fidèles à leur tradition antiroyaliste, eurent tôt fait de lui substituer secrètement un sobriquet, commençant par les mêmes lettres en anglais et signifiant « le tout-premier otage Krlll ». Il est bon de préciser que l'emblème de ces aliénigènes est connu sous le nom d'INSIGNE TRILATÉRAL. C'est celui qu'ils affichent sur leurs vaisseaux et leurs uniformes. À noter aussi que leurs deux premiers atterrissages ont été filmés et que ces films existent toujours.

Le président Eisenhower rencontra donc personnellement les aliénigènes et un pacte officiel fut signé par les deux chefs d'État au nom de leurs nations respectives. L'entente stipulait qu'aucune des deux parties ne devait s'immiscer dans les affaires de l'autre. En échange de notre engagement à préserver le secret de leur présence, ils étaient prêts à nous fournir de la technologie de pointe et à aider à l'avancement de notre science. Ils ne signeraient de traités avec aucune autre nation terrestre. Sur une base périodique et limitée, ils pourraient enlever des êtres humains pour des raisons de recherche médicale et d'étude de notre développement, à la condition expresse que ces sujets ne souffrent d'aucun préjudice et soient ramenés à leur point d'enlèvement sans garder le moindre souvenir de ces incidents. De plus, selon un calendrier fixe, les responsables extranéens devraient fournir à MJ-12 une liste de toutes les personnes contactées ou kidnappées. Il fut convenu que chacune des deux races désignerait un ambassadeur pour résider à demeure dans l'autre nation aussi longtemps que le traité serait en vigueur. En outre, on se mit d'accord pour procéder à des échanges culturels par le biais de stages d'études. Ainsi, pendant que seize « stagiaires étrangers » feraient leur apprentissage sur la Terre, seize des nôtres seraient en visite sur leur planète avant d'être relayés par un nouveau groupe au bout d'un certain temps. On accepta aussi de construire, à l'usage des aliénigènes, des bases souterraines dont deux serviraient à des recherches conjointes et à des échanges de technologie. Ces bases extranéennes seraient construites sur des réserves indiennes aux quatre coins de l'Utah, du Colorado, du Nouveau-Mexique et de l'Arizona.

Une des bases conjointes se trouve au Névada dans la zone appelée S-4 et située approximativement à 11 km au sud de la frontière occidentale de la zone 51, laquelle est connue sous le nom de code de DREAMLAND (« Pays des rêves »). Toutes ces zones sont entièrement contrôlées par le Département naval. C'est en effet la Marine qui émet la solde de chaque membre du personnel assigné à ces installations. Les chantiers ont immédiatement démarré mais n'ont progressé qu'au ralenti jusqu'à ce que d'importants subsides, en 1957, viennent relancer les activités conformément au projet YELLOW BOOK (« Livre jaune »).

Le projet REDLIGHT (« Feu rouge ») fut mis sur pied en vue d'entreprendre au plus tôt les premiers vols expérimentaux à bord d'astronefs. Des installations ultra-secrètes furent construites au lac Groom, dans le Névada, à l'intérieur du rayon d'action des tirs d'essai, dans cette zone qui porte justement pour nom de code Dreamland. Nul n'est autorisé à y pénétrer, pas même le personnel, sans un sauf-conduit « Q » de la Marine et un laissez-passer approuvé par l'Administration présidentielle, ce qui ne manque pas d'ironie si l'on songe que même le président des États-Unis n'est pas autorisé à visiter le site. Quant aux échanges technologiques, ils se déroulaient à la base extranéenne située dans la zone S-4, dont le nom de code était « The Dark Side of the Moon » (« La face obscure de la Lune »).

L'armée fut chargée de former une organisation ultra-secrète qui assurerait la pleine sécurité de tous les projets liés à la technologie extranéenne. Cette section spéciale fut baptisée l'Organisation de reconnaissance nationale. Établies à Fort Carson au

Colorado, ces équipes spécialement entraînées furent appelées DELTA.

De façon à étouffer les soupçons que les habitants de la région risqueraient d'avoir en apercevant des ovnis Redlight, on créa un projet parallèle, celui des avions à réaction SNOWBIRD, fabriqués selon des procédés conventionnels et exhibés à maintes reprises aux journalistes. Le projet Snowbird avait également l'avantage de discréditer, aux yeux de la population, les témoins d'authentiques appareils extranéens. À cet égard, il s'avéra une véritable réussite puisque les témoignages de la part du public se sont faits plutôt rares jusqu'à ces toutes dernières années.

Un fonds secret de plusieurs millions de dollars fut recruté et gardé par le Cabinet militaire de la Maison blanche. Ce capital servit à la construction de 75 installations profondément enfouies sous terre. Aux présidents qui demandèrent à quel usage étaient destinées ces mises de fonds, on répondit qu'elles serviraient à leur creuser de profonds abris souterrains en cas de guerre nucléaire. En fait, une très petite quantité était conçue à leur intention. Par contre, des millions de dollars étaient écoulés vers MJ-12 qui les redistribuait à des entrepreneurs pour l'excavation de bases ultra-secrètes, tant extranéennes que militaires, selon la « Solution 2 » dont nous parlerons plus loin. Le président Johnson se servit à même ce fonds pour faire ériger une salle de cinéma et paver la route de son ranch, sans avoir la moindre idée de l'objectif réel de ce trésor.

C'est le président Eisenhower qui obtint du Congrès, en 1957, la création de ce fonds secret en alléguant qu'il fallait « aménager et entretenir des abris secrets dans lesquels le président pourrait s'enfuir en cas d'attaque armée ». Ces « refuges présidentiels sécuritaires » consistent en de véritables cavernes creusées à une profondeur suffisante pour résister à une déflagration nucléaire et sont équipées des appareils de communications les plus avancés. Mais la majeure partie de ce fonds a plutôt servi au creusage des 75 installations qui sont aujourd'hui disséminées sous le territoire américain. D'autre part, la Commission de l'énergie atomique a ordonné la construction d'au moins 22 autres abris.

Leur emplacement et toute question connexe sont traités sous le sceau du secret le plus absolu. Le Cabinet militaire de la Maison blanche administre à lui seul la totalité des fonds impartis à ce programme et en distribue les parts suivant un réseau si complexe que même l'espion le plus habile ou le comptable le plus compétent ne sauraient jamais reconstituer leur parcours pour en retracer la provenance ou en découvrir la destination. En 1980, seuls les quelques individus placés au départ ou à l'arrivée de ce labyrinthe savaient à quel usage étaient consacrées ces sommes. À la position de départ, il y avait le représentant du Texas George Mahon, président du Comité de crédit budgétaire et du sous-comité de la Défense à la Chambre, ainsi que le représentant de la Floride Robert Sikes, président du sous-comité au Crédit de la construction militaire à la Chambre. (De nos jours, des rumeurs laissent entendre que Jim Wright, speaker de la Chambre, contrôlerait le budget du Congrès et qu'on se préparerait à le limoger par un coup de force.) En bout de ligne, on retrouvait le président, MJ-12, le chef du Cabinet militaire et un commandant au chantier naval de la Marine à Washington. Les fonds étaient libérés par le Comité de crédit qui les allouait au ministère de la Défense à titre de poste ultra-secret concernant la subvention du programme de construction militaire. L'Armée ne pouvait cependant pas dépenser cet argent puisque, en définitive, elle ne savait même pas à quoi il servait. C'est à la Marine, en fait, que revenait l'autorisation de le gérer. Elle commençait par le remettre à ses ingénieurs maritimes de la division de Chesapeake, qui n'en connaissaient pas davantage le but, ni eux ni même le commandant en chef, qui arborait pourtant le grade d'amiral. Un seul homme connaissait la raison d'être, le montant réel et la destination finale de ce fonds ultra-secret. C'était un commandant de la Marine assigné à la division de Chesapeake mais qui, en réalité, était aux ordres du Cabinet militaire de la Maison blanche. En vertu du secret absolu qui entourait ce capital, un très petit nombre d'individus en avait le contrôle. Il leur était donc d'autant plus facile de faire disparaître jusqu'à la moindre trace de son passage. Ce fonds ultra-secret n'a été soumis à aucune vérification comptable et ne le sera sans doute jamais.

De fortes sommes furent transférées de ce fonds à un autre à Palm Beach en Floride, dans une localité appartenant à la Garde côtière et appelée Peanut Island. Or, cette « île aux Cacahuètes » est précisément adjacente à un domaine qui appartenait à Joseph Kennedy. Lors d'un documentaire présenté à la télévision il y a déjà quelque temps sur l'assassinat de John, il avait été justement question d'un certain officier de la Garde côtière qui aurait remis une mallette remplie d'argent, de main à main à la lisière des deux propriétés, à un employé des Kennedy. S'agirait-il d'une indemnité versée aux parents pour la perte de leur fils ? Toujours est-il que ces versements ont continué sans interruption jusqu'en 1967. Ils auraient prétendument servi à des travaux d'embellissement et d'aménagement paysager, mais le véritable usage de cet argent demeure encore inconnu, tout comme, d'ailleurs, le montant des fonds transférés.

Entre-temps, Nelson Rockefeller fut encore muté en 1955. Il prit alors la place de C.D. Jackson qui avait occupé la fonction d'Adjoint spécial pour la stratégie psychologique. Sous Rockefeller, ce titre fut changé en celui d'Adjoint spécial pour la stratégie de la guerre froide. Ce poste évolua avec les années pour finalement comporter les attributions qui étaient celles d'Henry Kissinger sous la présidence de Nixon. Le rôle officiel de Rockefeller consistait à « fournir conseil et aide en vue de favoriser une meilleure compréhension et une plus grande coopération entre tous les peuples ». Cette description de tâche n'était toutefois qu'un écran de fumée pour dissimuler ses activités secrètes en tant que coordonnateur présidentiel des services de renseignements. Il en faisait rapport directement au président, et uniquement à lui. Il assistait aux réunions du Cabinet, prenait part au Conseil sur la politique économique étrangère et siégeait au Conseil de sécurité nationale, la plus haute instance gouvernementale en matière d'élaboration des politiques.

En vertu du décret NSC 5412/1 du mois de mars 1955, Nelson Rockefeller se vit en outre attribuer un autre poste clé, celui de chef du Groupe planificateur de la coordination. Cette unité secrète se prévalait des services de personnes désignées selon les différents besoins à l'ordre du jour. Hormis Rockefeller, ce comité ad hoc comptait à l'origine un représentant du ministère de la Défense, un autre du Département d'État et le directeur de la Centrale de renseignements. Cette unité fut bientôt appelée indifféremment le « Comité 5412 » ou le « Groupe spécial ». Le décret NSC 5412/1 établit une nouvelle règle concernant les opérations clandestines. Jusque-là, le directeur de la Centrale de renseignements avait pleine autorité sur leur exécution. Dorénavant, ces opérations seraient soumises à l'approbation d'un comité exécutif.

Déjà en 1954, par son décret-loi secret NSC 5410, Eisenhower avait précédé le décret NSC 5412/1 en constituant un comité permanent – et non ad hoc – qui allait être connu sous le nom de MAJORITY TWELVE (l'« État-major des Douze ») – MJ-12 – et dont le rôle consisterait à superviser et à diriger les activités secrètes ayant rapport à la question extranéenne. Le NSC 5412/1 ne fut promulgué, en définitive, que pour détourner la curiosité du Congrès et de la presse relativement aux réunions de MJ-12, ainsi baptisé parce qu'il était alors composé des douze hauts fonctionnaires suivants :

— Nelson Rockefeller ;

— Allen Welsh Dulles, directeur de la Centrale de renseignements ; – John Foster Dulles, secrétaire d'État ;

— Charles E. Wilson, secrétaire à la Défense,

— l'amiral Arthur W. Radford, président du Comité interarmes des chefs d'état-major,

— J. Edgar Hoover, directeur du FBI (« Bureau fédéral d'investigation ») ;

— six membres clés du comité exécutif du Conseil des relations étrangères, surnommés « les Mages ».

Ces « Mages » faisaient tous partie de la SOCIÉTÉ JASON, un aréopage occulte formé uniquement d'anciens de Harvard et de Yale qui étaient censés avoir passé l'initiation des « Skull and Bones » et « Scroll and Key » du temps où ils fréquentaient ces universités situées respectivement à Boston, au Massachusetts, et à New Haven, au Connecticut.

Une recherche minutieuse, cependant, aura tôt fait de nous démontrer que certains « Clercs de Jason » ont été admis sur invitation en raison de leurs seules qualités professionnelles, indépendamment du fait qu'ils auraient subi leur initiation ou même reçu leur diplôme desdites institutions. Lovett, par exemple, a été initié aux « Skull and Bones » sur une base aérienne près de Dunkerque dans le nord de la France.

Majority-12 se composa donc, au fil des années, de directeurs et hauts fonctionnaires du Conseil des relations étrangères et s'accrut plus tard de membres de la COMMISSION TRILATÉRALE. Parmi eux se trouvaient George Dean, George Bush et Zbigniew Brzezinski. Au nombre des « Mages » les plus importants et les plus influents au service de MJ-12, on comptait John McCloy, Robert Lovett, Averell Harriman, Charles Bohlen, George Kennan et Dean Acheson, dont les politiques allaient se poursuivre jusque vers la fin des années 70. Il est intéressant de noter que l'effectif complet de MJ-12 a été recruté uniquement dans le Conseil des relations étrangères, dont faisait également partie le président Eisenhower. D'autre part, la constitution univoque de ce que l'on surnomma l'« Establishment de la Côte Est » donne une bonne idée de la sérieuse influence que peuvent avoir les associations universitaires occultes. La Société Jason se porte encore très bien de nos jours, malgré qu'elle compte aujourd'hui des membres de la Commission trilatérale, qui doit son nom à l'insigne extranéen dont nous avons parlé plus haut. Cette commission existait bien avant d'être rendue publique en 1973.

Majority-12 a aussi survécu jusqu'à aujourd'hui. Sous Eisenhower et Kennedy, cette section fut appelée à tort le Comité 5412 ou, plus correctement, le Groupe spécial. Sous l'administration Johnson, elle devint le Comité 303 pour échapper aux allusions compromettantes dont la dénomination 5412 avait été la cible dans un volume intitulé *Le Gouvernement secret*. (L'auteur de ce livre avait effectivement été mis au courant du décret NSC 5412/1, mais cette fuite n'était qu'une habile manœuvre de diversion pour encore mieux dissimuler l'existence du décret 5410.) Sous les gouvernements Nixon, Ford et Carter, le comité porta le numéro 40 et, sous celui de Reagan, le numéro Pl-40. Durant toutes ces années, seule l'appellation de cette section a changé.

Dès 1955, il devint évident que les aliénigènes avaient abusé de la confiance d'Eisenhower et ne respectaient pas leur traité. On fit la macabre découverte, à travers tout le territoire américain, de cadavres mutilés non seulement d'animaux mais aussi d'êtres humains. On se mit alors à fomenter de sérieux doutes sur l'intégralité des listes que les aliénigènes s'étaient engagés à soumettre à MJ-12. Comment, dès lors, ne pas supposer le pire en ce qui avait trait aux kidnappings et comment ne pas les soupçonner d'avoir engagé des relations diplomatiques avec d'autres pays ? Or, ces soupçons s'avérèrent fondés dans le cas de l'URSS. De plus, on découvrit que les aliénigènes exerçaient un contrôle sur les masses par le biais de sociétés secrètes ainsi que par le truchement de la sorcellerie, de la magie, de l'occultisme et de la religion. En guise de représailles, l'Aviation militaire s'engagea dans de nombreux combats aériens, mais elle dut baisser pavillon devant la supériorité tactique des escadrilles extranéennes.

Par un autre décret-loi secret – le NSC 5411 – promulgué en 1954, le président Eisenhower avait ordonné à ce groupe d'« examiner tous les faits, les évidences, les mensonges et les tromperies relativement aux aliénigènes afin d'en dégager la vérité ». En novembre 1955, le décret NSC 5412/2 établit un comité d'étude ayant pour tâche d'« explorer tous les facteurs pouvant contribuer à l'élaboration et à la réalisation des politiques étrangères à l'ère nucléaire ». Tout comme le NSC 5412/1, le NSC 5412/2 n'était qu'une façade devenue nécessaire pour dévier l'attention des journalistes qui commençaient à s'enquérir du but de ces réunions où se regroupaient tant de personnalités politiques aussi importantes.

Les premières rencontres eurent lieu en 1954 et furent tenues à la base navale de Quantico, en Virginie. Le groupe d'étude réunissait 35 membres du Conseil des relations étrangères, tous de la Société Jason. Le professeur Edward Teller fut invité à y participer. Durant les dix-huit premiers mois, le professeur Zbigniew Brzezinski tint le rôle de président d'étude et fut remplacé par le professeur Henry Kissinger, qui anima le groupe « Quantico II » pendant une égale durée à partir de novembre 1955. Nelson Rockefeller y fit de fréquentes visites pendant les sessions d'étude. Il s'était fait bâtir une retraite, quelque part au Maryland, dans un endroit accessible uniquement par avion, de sorte que MJ-12 n'y soit pas importuné par les regards inquisiteurs de la presse et du public. Ce pavillon de campagne, de son nom de code « Country Club », en plus d'offrir le gîte et le couvert, était doté d'une bibliothèque, de salles de réunion et d'installations récréatives.

Le groupe d'étude fut « publiquement » dissous vers la fin de 1956 et Henry Kissinger publia, l'année suivante, un compte rendu « officiel » des sessions sous le titre « Armes nucléaires et Politiques étrangères », édité par Harper à New-York. En vérité, Kissinger en avait déjà rédigé les quatre cinquièmes à l'époque où il étudiait à Harvard. Ainsi le comité d'étude pouvait poursuivre ses réunions en secret. Les commentaires de l'épouse et des amis de Kissinger sont révélateurs du caractère sérieux qu'il attachait à ces rencontres. Ceux-ci relatent qu'il quittait la maison très tôt le matin et n'y revenait qu'à la nuit tombée. Devenu anormalement taciturne, il ne répondait plus à personne, comme s'il vivait dans un monde à part dont les autres étaient inconditionnellement exclus. Les révélations faites au cours des sessions d'étude sur la présence des aliénigènes et leurs agissements avaient dû l'ébranler sérieusement pour qu'il manifestât subitement un tel revirement d'attitude, autrement inexplicable puisqu'il ne sera jamais plus affecté de cette manière durant le reste de sa carrière, et ce peu importe la gravité des événements auxquels il sera confronté. Il lui arrivait souvent, en outre, malgré une journée de travail déjà bien remplie, de prolonger ses activités très tard dans la nuit. Inévitablement, ce mode de vie le conduisit au divorce.

Un des résultats majeurs des travaux du comité fut de conclure à l'absolue nécessité de *ne pas* mettre la population au courant de la présence extranéene, car le groupe estima qu'il en résulterait à coup sûr un effondrement de l'économie autant que des structures religieuses, ainsi qu'un déferlement de panique tel que la nation risquerait de tomber dans l'anarchie. Aussi fallait-il absolument en préserver le secret, et ce non seulement à l'égard du public en général mais aussi face au Congrès. On allait donc devoir trouver des fonds ailleurs que dans le gouvernement pour subventionner les projets de recherche. Or, on avait déjà obtenu la garantie qu'ils seraient assurés, d'une part, par le biais des crédits de l'Armée et, d'autre part, au moyen de fonds confidentiels de la CIA non affectés à son budget.

La décision du groupe d'étude d'occulter le problème avait été motivée par la découverte effarante que les aliénigènes utilisaient des êtres humains et des animaux pour en extraire les sécrétions glandulaires et hormonales, les enzymes et le sang en vue de contrer les effets de leur propre dégénérescence cellulaire. De plus, ceux-ci affirmaient que les horribles expériences génétiques qu'ils pratiquaient sur leurs victimes représentaient pour eux une question de vie ou de mort. Étant donné que leur espèce avait perdu la faculté de se reproduire, elle se trouvait en effet confrontée à l'extinction à plus ou moins brève échéance, suivant son degré de réussite à améliorer sa structure génétique.

MJ-12 ne prit toutefois pas ces explications au pied de la lettre ; mais, comme nos armes ne s'étaient pas montrées à la hauteur de leur riposte, on jugea néanmoins préférable de continuer à entretenir des relations diplomatiques amicales avec ces imposteurs, du moins jusqu'au temps où nous serions technologiquement de taille à leur imposer le respect. En outre, il vaudrait mieux, pour la survie de l'humanité, joindre nos forces à celles d'autres nations, à commencer par l'URSS. Par ailleurs, on avait déjà entrepris un double programme d'armement, à la fois conventionnel et nucléaire, dans l'espoir de pouvoir un jour traiter sur un pied d'égalité avec les aliénigènes.

Ces recherches constituèrent les projets JOSHUA et EXCALIBUR. Le premier concernait une arme développée par les Allemands et capable, à cette époque, de faire éclater un blindage de 20 cm d'épaisseur à une distance de 3 km. Ce dispositif émettait des pulsations sonores à très basse fréquence. On présuma qu'il pourrait efficacement se mesurer aux faisceaux des astronefs. Excalibur, de son côté, consistait en une ogive d'une mégatonne transportée par un missile téléguidé pouvant s'élever à près de 10 000 m d'altitude relative, atteindre une cible définie sans dévier de plus de 50 m et s'enfoncer à 1000 m dans un sol tassé et dur comme le tuf calcaire que l'on retrouve au Nouveau-Mexique, là où sont enfouies les bases extranéennes. Joshua fut développé avec succès mais, à ma connaissance, jamais utilisé. Excalibur, pour sa part, a été négligé jusqu'à tout récemment, alors que des efforts sans précédent lui sont maintenant consacrés.

À partir des doutes qu'avaient suscités les activités illicites des aliénigènes, une minutieuse investigation fut ordonnée à l'égard du secret qui entourait les événements survenus au début du siècle à Fatima. Les États-Unis avaient profité de la campagne d'Italie, durant la Seconde Guerre mondiale, pour recruter et former, au sein même du Vatican, des agents secrets qui leur fourniraient sur demande tous les documents de l'Église relativement aux fameuses prophéties. L'une d'elles affirmait que, si l'humanité ne se détournait pas du péché pour se placer sous l'égide du Christ, elle finirait par se détruire après avoir provoqué les événements apocalyptiques décrits par Jean dans son Livre des Révélations. La prophétie annonçait aussi la naissance d'un enfant qui rallierait tous les peuples à l'idée d'une paix mondiale mais jetterait les fondements d'une fausse religion en 1992. La plupart des gens discerneraient toutefois le mal dans les intentions de cet homme et reconnaîtraient bientôt dans sa personne l'identité de l'Antéchrist. La Troisième Guerre mondiale éclaterait en 1995 au Moyen-Orient avec l'invasion de l'État d'Israël par une nation des États arabes unis. Celle-ci utiliserait d'abord des armes conventionnelles mais déclencherait finalement un holocauste nucléaire en 1999. De là jusqu'en 2003, toute vie sur terre serait condamnée à d'horribles souffrances qui ne sauraient se terminer que dans la mort. La prophétie s'achève néanmoins sur une note optimiste en annonçant le retour du Christ en 2011.

Lorsqu'on eut soumis ces prédictions aux aliénigènes, ceux-ci en confirmèrent la véridicité en expliquant qu'il leur était donné de connaître d'avance ces événements grâce au voyage à travers le temps. Les États-Unis et l'Union soviétique en vérifièrent aussi l'authenticité quand, plus tard, ils eurent eux-mêmes accès à cette technique. Les aliénigènes prétendirent, en outre, avoir créé l'espèce humaine par croisements génétiques et l'avoir manipulée par le biais de la religion, du satanisme, de la sorcellerie, de la magie et du spiritisme. Ils montrèrent un hologramme censé représenter la véritable scène de la crucifixion de Jésus. Les chercheurs du gouvernement la fixèrent sur pellicule, malgré la perplexité qu'ils éprouvaient devant ce qui pouvait n'être qu'une supercherie. Cherchaient-ils simplement à nous manipuler à travers nos religions, alors même que notre foi était authentique, ou bien avaient-ils vraiment inventé nos religions comme moyen de nous manipuler depuis toujours par le biais de nos croyances ? D'autre part, serions-nous réellement sur le point de vivre les événements de la fin des temps et du retour du Christ qui sont annoncés dans l'Évangile ? Nul n'en avait la moindre idée.

En 1957 fut tenu un symposium réunissant les plus grands esprits scientifiques du moment. Ceux-ci arrivèrent à la conclusion que, vers l'an 2000, en raison de l'accroissement de la population et à cause de l'exploitation de l'environnement, notre planète ne pourrait éviter la destruction sans une intervention divine ou extranéenne.

Le président Eisenhower émit un décret-loi secret ordonnant à la Société Jason d'étudier ce scénario et de lui soumettre ses recommandations. Ses recherches ne purent que confirmer la conclusion des hommes de sciences. En guise de recommandations, la Commission Jason présenta trois solutions alternatives.

Solution 1 : Percer la stratosphère en y pratiquant, au moyen d'explosions nucléaires, d'immenses brèches à travers lesquelles la chaleur et la pollution pourraient s'échapper dans l'espace. Il faudrait éduquer les mentalités à moins exploiter l'environnement et à davantage le protéger. Des trois solutions, c'était la moins susceptible de réussir, d'une part, en raison des tendances inhérentes de la nature humaine et, d'autre part, à cause des dommages supplémentaires que des explosions nucléaires ajouteraient à l'environnement.

Solution 2 : Construire un vaste réseau souterrain de villes et de corridors dans lequel une élite de toutes les cultures et de toutes les sphères d'activités serait appelée à survivre pour perpétuer l'espèce humaine. Quant au reste de l'humanité, elle serait laissée à elle-même à la surface du globe.

Solution 3 : Exploiter la technologie planétaire et extranéenne afin qu'un petit nombre d'élus puissent quitter la Terre et aller fonder des colonies ailleurs dans le cosmos. Je ne saurais confirmer ou infirmer la possibilité que des contingents d'esclaves aient déjà été expédiés, dans le cadre de ce projet, en qualité de main-d'œuvre. La destination première est la Lune – de son nom de code Adam – et la seconde est Mars – Ève.

Dans le but d'en proroger l'exécution, les trois solutions furent accrues d'un programme de contrôle des naissances – incluant la stérilisation – et de propagation de microbes mortels en vue de ralentir l'accroissement de la population. Le SIDA ne représente qu'un des résultats de ce plan, car il en existe d'autres qui ont aussi été conçus pour se débarrasser des éléments indésirables de la société dans le plus grand intérêt de l'humanité. Les gouvernements américain et soviétique ont rejeté la première solution mais ont conjointement ordonné d'entreprendre la réalisation des solutions 2 et 3 à peu près en même temps.

En 1959, la société commerciale Rand organisa un symposium sur les « constructions souterraines à grande profondeur ». Le prospectus contenait des photographies et des descriptions de machines pouvant creuser des tunnels de 8 m de diamètre à raison de 1,5 m par heure. Ces immenses corridors conduisaient à de gigantesques voûtes souterraines qui semblaient abriter des installations domestiques et vraisemblablement des villes. De toute évidence, l'industrie de la construction souterraine avait accompli des progrès significatifs depuis ses débuts cinq ans auparavant.

Les dirigeants comprirent qu'un des meilleurs moyens de gérer les projets clandestins reliés aux aliénigènes consistait à accaparer le marché noir des stupéfiants. À cet effet, on approcha un jeune et ambitieux membre du Conseil des relations étrangères nommé George Bush, qui était alors président-directeur général de la société pétrolière texane Zapata, laquelle procédait à des expérimentations techniques en haute mer. Or, les plates-formes de forage pourraient très bien servir, estimèrent-ils avec raison, à opérer le trafic de la drogue. Il suffisait, en effet, de charger la contrebande à bord de chalutiers qui la transporteraient depuis l'Amérique du Sud jusqu'aux plates-formes de forage. De là, il ne restait plus qu'à l'acheminer vers le continent en empruntant la navette de ravitaillement du personnel régulier dont la cargaison n'est même pas soumise à l'inspection des douanes ni à la surveillance de la garde côtière. George Bush accepta de collaborer à l'opération avec la CIA. Ce stratagème dépassa si bien les prévisions qu'il est ensuite devenu pratique courante dans le monde entier, quoiqu'il existe maintenant beaucoup d'autres méthodes pour introduire des drogues illégales dans un pays. Il faudra donc toujours se souvenir de George Bush comme ayant fait partie des promoteurs de la vente de stupéfiants à nos enfants. De nos jours, la CIA contrôle mondialement le marché noir de la drogue.

C'est le président Kennedy qui a lancé le programme spatial « officiel » quand, dans son discours inaugural, il a confié aux États-Unis le mandat d'envoyer un homme sur la Lune avant la fin de la décennie. Malgré l'honnêteté de ses intentions, ce mandat permit néanmoins aux responsables de couler des sommes gigantesques vers les projets clandestins tout en détournant le peuple américain du véritable programme spatial. L'Union soviétique élabora un plan similaire qui visait le même objectif, car, en réalité, au moment même où Kennedy s'adressait à la nation, les deux superpuissances, de concert avec les aliénigènes, avaient déjà installé une base conjointe sur la Lune. Le 22 mai 1962, une sonde spatiale atterrit sur Mars et confirma que l'environnement y était propice à la vie. Il n'en fallait pas davantage pour qu'on s'y rendit aussitôt fonder une colonie. Il s'y trouve aujourd'hui des villes peuplées d'individus spécialement sélectionnés pour leurs compétences particulières et provenant de toutes les cultures de la Terre. Si l'Union soviétique et les États-Unis ont, durant toutes ces années, affiché publiquement des politiques soi-disant antagonistes, c'était simplement pour avoir le loisir d'élaborer des projets de ce genre au nom de la

Défense nationale, puisque, au fond, ce sont les plus grands alliés du monde.

Dans une certaine mesure, le président Kennedy découvrit des bribes de vérité au sujet des drogues et des aliénigènes. C'est pourquoi, en 1963, il posa un ultimatum à MJ-12, leur enjoignant de faire maison nette, sans quoi il se chargerait lui-même de faire le ménage dans le marché des stupéfiants. De plus, il informa MJ-12 de son intention de révéler l'existence des aliénigènes à toute la nation l'année suivante. Il leur ordonna donc de préparer un plan de divulgation conformément à cette décision. Or, Kennedy ne faisait pas partie du Conseil des relations étrangères. Aussi ne savait-il rien des solutions 2 et 3. Au niveau international, les opérations secrètes étaient gérées par un exécutif connu sous le nom de « Comité des politiques », dont MJ-12 constituait la succursale américaine, laquelle avait son homologue en URSS. La décision du président Kennedy fit l'effet d'une pierre jetée dans un nid de frelons. Son assassinat fut aussitôt décrété par le Comité des politiques, puis l'ordre en fut transmis aux représentants de MJ-12 postés à Dallas. C'est un agent des services secrets qui a abattu Kennedy, et cet agent n'est nul autre que William Green, le chauffeur même de la limousine décapotable à l'arrière de laquelle avait pris place le président le vendredi 22 novembre 1963. Quand vous visionnerez le célèbre film qui nous en est resté, observez attentivement le chauffeur, et vous discernerez clairement le coup de feu. Les témoins oculaires qui se trouvaient à proximité de la voiture présidentielle l'ont très bien vu, mais tous ceux parmi eux qui ont cru bon en parler aux autorités ont subi le même sort que Kennedy dans les deux années qui suivirent son meurtre. Rien d'étonnant, du reste, à ce que la commission Warren n'ait abouti à aucun résultat concluant puisque la majorité de ses sièges était occupée par des membres du Conseil des relations étrangères. Par ailleurs, elle a fort bien réussi à obnubiler le peuple américain. Quant aux citoyens qui ont osé, entre-temps, lever le voile sur le mystère extranéen, ils ont connu la même fin tragique.

Au début de l'ère spatiale et à l'époque des expéditions lunaires, les satellites habités étaient toujours escortés d'un astronef extranéen. Les cosmonautes de la mission Apollo ont vu et même filmé la base lunaire surnommée LUNA. Leurs photographies nous révèlent des structures en forme de dômes, de spirales et de silos, de même que d'immenses véhicules miniers en forme de T qui traçaient sur la surface de la Lune des marques semblables aux cicatrices que des points de suture laissent sur la peau. On y voit aussi divers types d'astronefs, les uns absolument gigantesques, d'autres beaucoup plus petits. Il s'agit de cette base américano-soviéto-aliénigène dont nous avons parlé. Le programme spatial n'est donc qu'une blague excessivement coûteuse, et la solution 3 n'est pas de la science-fiction. Les astronautes des missions Apollo l'ont appris à leur corps défendant. Le choc qu'ils en ont éprouvé n'a pas été sans affecter leur vie, comme en témoigne leur comportement par la suite, sans compter qu'ils ont dû se soumettre à la dure réalité de la conspiration du silence quand on leur ordonna de taire ce qu'ils avaient vu, sans quoi ils s'exposaient à « la procédure expéditive ».

Un des astronautes osa tout de même collaboré avec les producteurs britanniques de l'émission « Solution 3 » en corroborant plusieurs de leurs allégations. Les auteurs du livre intitulé *La Solution 003* parlent de cet astronaute en ayant soin de lui donner un pseudonyme, celui de « Bob Grodin », mais ils relatent que ce dernier se serait suicidé en 1978. Or, je n'ai trouvé aucune source pour confirmer cette information. Je suis porté à croire que certains faits ont été biaisés par suite de pressions exercées sur les auteurs en vue d'empêcher l'impact qu'aurait pu susciter dans la population l'émission britannique. On aura ainsi cherché à discréditer les producteurs de « Solution 3 » avec une contre-information faussée, tout comme on l'avait fait aux États-Unis quand Eisenhower avait émis tout un « document de directives » pour mousser le plan d'urgence MAJESTIC-12, alors que celui-ci n'était en définitive qu'un simulacre pour couvrir le vrai MJ-12. Quoi qu'il en soit, à ma connaissance et selon mes sources, le contenu de ce livre est fondé à 70 %, par exemple lorsqu'il est question de la Conspiration internationale dont le quartier général est situé à Genève en Suisse. Son état-major est formé des représentants des gouvernements qui en font partie, ainsi que des administrateurs du groupe connu sous le nom de Bilderburgers. Les décisions qu'y prend le Comité des politiques sont si graves que, pour en assurer le secret absolu, les réunions se tiennent parfois dans un sous-marin nucléaire sous la calotte polaire.

Depuis que nous avons commencé à pactiser avec les aliénigènes, nous avons acquis une technologie qui va bien au-delà de nos rêves les plus fous. Les hangars de la zone 51 abritent actuellement un « véhicule trans-atmosphérique » à un étage, nommé AURORA, capable de décoller d'une piste de 11 km et de s'élever en orbite à haute altitude, puis de redescendre sur ses propres réserves et enfin de se poser sur la même piste. Dans la zone S-4 au Névada, nous possédons des astronefs de modèle extranéen mus à l'énergie nucléaire, à bord desquels nos pilotes ont déjà effectué des voyages interplanétaires sur la Lune et sur Mars. On nous cache la vérité au sujet de la Lune, de Mars et de Vénus, et on nous ment sur l'état réel de la technologie que nous possédons déjà en ce moment même.

Il existe des régions sur la Lune où se développe une vie végétale. Les plantes y changent de couleurs avec les saisons, car il y a aussi des saisons sur la Lune, des étendues d'eau, une atmosphère, voire des nuages, et toutes sortes de phénomènes naturels provoqués par des hommes, qui les ont d'ailleurs filmés. Il faut se rappeler que, même si la Lune présente toujours la même face à la Terre, elle tourne néanmoins autour de celle-ci et que, par conséquent, elle fait un tour complet sur elle-même au cours de cette période de 28 jours qu'on appelle lunaison. Chacune de ses régions est donc périodiquement exposée aux rayons du Soleil pendant une durée approximative de 14 jours terrestres et en est ensuite privée pendant une égale durée. D'autre part, étant un satellite de la Terre, la Lune se trouve entraînée dans la révolution terrestre qui, pendant six mois environ, la rapproche du Soleil et, pendant six autres mois, l'en éloigne, assurant ainsi pour la Lune un certain cycle de saisons. La pression atmosphérique lunaire étant beaucoup plus faible que sur la Terre, les cosmonautes doivent s'y adapter selon une technique de dépressurisation analogue à celle des plongeurs de profondeur. Cette pression est néanmoins suffisante pour qu'il ne leur soit pas nécessaire de revêtir une combinaison spatiale. Grâce au champ gravitationnel de la Lune, ils peuvent se maintenir à sa surface, munis simplement d'une bouteille d'oxygène comme des hommes-grenouilles. J'ai personnellement vu des photographies à ce sujet. Quelque-unes sont publiées dans le livre de Fred Steckling intitulé *Nous avons découvert des bases extranéennes sur la Lune.*

En 1969, un différend opposa les aliénigènes aux hommes de sciences qui travaillaient avec eux dans le laboratoire souterrain de Dulce. Ces derniers ayant été pris comme otages par leurs adversaires, on envoya à leur rescousse le détachement de commandos Delta, mais soixante-six d'entre eux périrent sous le tir des aliénigènes, dont les armes étaient nettement supérieures. À la suite de cet incident, nous avons retiré notre participation aux projets conjoints durant plus de deux ans, après quoi les relations ont été rétablies et se poursuivent sans anicroche depuis lors.

Quand le scandale du Watergate éclata, le président Nixon demeura confiant de s'en tirer sans accusation, car il ne s'estimait coupable d'aucune malversation. Or, tel n'était pas le cas de MJ-12. Dans les milieux du renseignement, on conjectura avec raison que, s'il devait y avoir procès, les enquêteurs commenceraient par fouiller dans leurs dossiers compromettants et finiraient par en étaler les terribles secrets sur la place publique. Ils ordonnèrent donc à Nixon de résigner son mandat. Son refus donna lieu au premier coup d'État à jamais avoir été mené par des militaires américains contre leur propre président. L'état-major de la Défense nationale émit un message ultra-secret à tous les officiers supérieurs des Forces armées américaines dans le monde entier, disant ceci : « Dès réception du présent message, vous ne devrez plus exécuter aucun ordre émanant de la Maison blanche. Veuillez accuser réception. » J'ai moi-même tenu en main ce message et, quand j'ai demandé à mon commandant ce qu'il comptait faire, sachant très bien que cet ordre violait la Constitution, il m'a répondu laconiquement : « Je pense bien que le mieux à faire est d'attendre de voir si la Maison blanche émettra des ordres, auquel cas j'aviserai. » Je n'ai vu aucun communiqué de la Maison blanche, mais cela ne signifie pas pour autant qu'elle n'en ait pas envoyé. Richard Nixon résista tant bien que mal pendant cinq bonnes journées avant de céder et d'annoncer publiquement sa résignation.

On dirait que, durant toutes les années où ces événements ont eu lieu, le Congrès et la nation américaine savaient d'instinct que quelque chose ne tournait pas rond dans les affaires de l'État. Aussi, quand le scandale du Watergate a fait éruption, tout le monde a emboîté le pas au mouvement de nettoyage qui semblait s'annoncer à l'égard des agences. Le président Ford commanda une commission pour faire enquête sur les activités des agences de renseignements. Voilà, du moins, ce à quoi les gens s'attendaient. Or, le président de cette commission était ce même Nelson Rockefeller, membre du Conseil des relations étrangères, qui avait aidé Eisenhower à répartir les pouvoirs de MJ-12. Il divulgua juste assez d'éléments pour garder la meute aux abois. Il lança quelques os aux membres du Congrès en prenant soin d'éliminer les plus gênants parmi ces derniers, et les conjurés en sortirent intacts comme ils l'avaient toujours fait.

Plus tard, ce fut au tour du sénateur Church de diriger les célèbres audiences qui portent son nom. Lui aussi membre éminent du Conseil des relations étrangères, il ne fit que poursuivre la tactique de Rockefeller au profit de la conspiration. Quand les contrebandiers iraniens se mirent à table, on crut bien, cette fois, que le chat sortirait du sac. Hélas ! on nous fit encore mordre la poussière. En dépit des montagnes de documents qui dénonçaient le trafic des stupéfiants et autres horreurs du même genre, les conspirateurs réussirent à se faufiler allégrement. Même le Congrès semblait se défiler en faisant mine de ne pas voir ce qui se cachait pourtant juste sous la surface. Peut-être ses membres étaient-ils au courant de toute l'affaire et craignaient-ils de se compromettre parce qu'ils comptaient parmi les gens sélectionnés pour habiter des colonies sur Mars quand la Terre entamerait sa destruction !

La CIA, la NSA et le Conseil des relations étrangères contrôlent des monopoles financiers qui dépassent tout ce qu'on peut imaginer. Ils ont érigé leur empire à même les cartels de la drogue et leurs entreprises de spéculation. Ils ont accumulé une fortune démesurée à partir de leurs activités illicites, et ils profitent maintenant, sous la protection même de la loi, de leurs placements dans d'immenses réseaux de sociétés de gestion et d'institutions bancaires. Je ne les connais évidemment pas toutes, mais j'aimerais attirer votre attention sur celles qui appartiennent aux magnats de la finance J. Henry Schroder et Helbert Wagg, de même que sur la banque et les sociétés de portefeuille Castle, sur la Banque de développement de l'Asie et sur la Nugan Hand, aux innombrables ramifications.

Un plan d'urgence a été élaboré par MJ-12 à seule fin d'induire en erreur tous ceux qui tentaient de cerner la vérité. C'est ce plan qui porte le nom de MAJESTIC TWELVE. Sa première opération consista à mandater Moore, Shandera et Friedman de divulguer le soi-disant authentique « document de directives » d'Eisenhower ! Mais ce document n'est qu'une fraude, et les grossières bavures dont il est rempli ne font que nous le confirmer. Par exemple, le décret présidentiel auquel il fait allusion porterait le numéro 092447. Or, ce numéro n'est pas près de figurer sur la véritable liste puisque tous les décrets de l'Administration sont numérotés à la suite, sans égard aux divers présidents qui les promulguent. Ainsi, les décrets signés par Truman figurent, pour la plupart, dans la série 9000, par Eisenhower dans la 10 000, par Ford dans la 11 000 et, quant à Reagan, il n'a guère dépasser le numéro 12 000. Depuis des années, ce plan a vraiment réussi à leurrer les chercheurs en les orientant sur de fausses pistes et à leur faire dépenser temps et argent à prendre des vessies pour des lanternes. Le Fonds de recherche en ovniologie a gaspillé 16 M $ en subventions inutiles pour que Stanton Friedman mette la main sur des informations qui n'existent même pas. Des milliers d'heures ont été perdues à poursuivre un fantôme. Croyez-moi, le gouvernement secret s'y connaît plutôt bien en matière d'illusionnisme.

Un autre plan d'urgence est actuellement en cours, et c'est vous qui en êtes la cible. On vous prépare, en effet, à une éventuelle confrontation avec les aliénigènes en vous bombardant de livres, de films, d'émissions qui vous dépeignent à peu près tous les aspects de leur nature, bons ou mauvais, et la véritable raison pour laquelle ils sont ici. Observez bien et vous allez remarquer de quelle manière votre gouvernement vous y prépare peu à peu, de façon à éviter que vous ne soyez pris de panique lorsque les aliénigènes se manifesteront enfin au grand jour, car ils en ont bel et bien l'intention.

La population fait aussi l'objet de nombreuses autres manigances, beaucoup plus scandaleuses, dont celle qui consiste, depuis des années, à importer des stupéfiants pour les lui revendre au prix fort, et ce, surtout aux citoyens qui n'en ont pas les moyens. Les programmes d'aide sociale ont été mis en place pour que, dans un premier temps, le désœuvrement crée chez une certaine catégorie d'individus une totale dépendance vis-à-vis de l'État. Puis, dans un second temps, les allocations leur sont peu à peu retirées de façon à donner naissance à une classe criminelle, qui n'existait pas comme telle dans les années 50 et au début des années 60. Ce plan d'urgence encourage la fabrication et l'importation d'armes automatiques pour que cette classe soit portée à s'en servir, et tout cela dans le but de provoquer un sentiment d'insécurité tel que les Américains appuient volontiers les projets de loi qui s'opposent au port d'arme à feu. Et, bien entendu, cette mise en scène est ponctuée de rebondissements qui viennent en accélérer le déroulement.

Des spécialistes de la CIA ont recours à un procédé qu'ils appellent ORION (!) selon lequel ils administrent des stupéfiants à un sujet affecté de troubles mentaux, puis lui suggèrent, sous hypnose, l'obsession de tirer des coups de feu, par exemple dans une cour d'école bondée d'étudiants. Ce plan contribue à faire avancer la cause des adversaires du port d'arme, laquelle, au demeurant, enregistre actuellement certains progrès. Or, il faut absolument faire échec à ce plan, et vous allez comprendre pourquoi.

Ces gens vont prétexter de la vague de criminalité qui déferle sur le continent pour convaincre la population que l'anarchie règne dans les grandes villes. Ils nous harcèlent à ce sujet presque quotidiennement, le jour dans les journaux et le soir à la télévision. Lorsque l'opinion publique sera complètement gagnée à cette idée, ils vont annoncer qu'un groupe terroriste, armé d'un dispositif nucléaire, s'est infiltré au pays avec l'intention de faire sauter l'une de ces villes. Le gouvernement, envers et contre la Constitution, en profitera alors pour imposer la loi martiale et s'emparer de tous les dissidents, autrement dit les gêneurs, ainsi que de tous les individus à qui les aliénigènes ont déjà greffé un implant en vue de les embrigader dans leurs contingents secrets. Ces personnes seront ensuite internées dans des camps de concentration prévus à cet effet, lesquels occupent déjà des terrains d'environ trois kilomètres carrés un peu partout au pays. Qui sait si ces opprimés ne constituent pas le corps des réservistes que les agresseurs destinent à l'esclavage dans leurs colonies spatiales ?

Après avoir saisi les médias d'information et les banques de données informatiques, les gouvernants les nationaliseront, et toute personne qui tentera de leur résister sera séquestrée ou abattue. Le gouvernement et l'armée ont déjà procédé, en 1984, à des manœuvres enregistrées sous le nom de code REX-84, et celles-ci ont parfaitement fonctionné. La prochaine fois, ce ne sera pas un exercice, et le gouvernement secret, avec ou sans les aliénigènes, prendra le pouvoir absolu. Dès lors, soyez prêts à renoncer à vos droits et libertés et préparez-vous à vivre dans la servitude pendant le reste de vos jours. Si ce n'est pas ce que vous souhaitez, il est grandement temps de vous réveiller et de réagir.

Entre 1970 et 1973, il m'a été donné de voir des documents confirmant que Phil Klass est un agent de la CIA. En tant qu'expert en aéronautique, il avait pour fonction, entre autres, de déboulonner tout ce qui se rapportait au phénomène ovni. Il agissait à titre de personne-ressource auprès des chefs militaires, qui avaient reçu la directive de recourir aux techniques de dénigrement élaborés par Klass dans les cas où la presse et le public les interrogeraient sur le bien-fondé des phénomènes rapportés par des contactés ou des témoins oculaires.

William Moore, Jamie Shandera et Stanton Friedman, sciemment ou non, oeuvrent tous trois pour le compte du gouvernement secret. Je préfère croire qu'ils n'en savent rien, quoique je sois sérieusement porté à en douter dans le cas du premier, car il a lui-même confié à Lee Graham être un agent du gouvernement. D'ailleurs, si mes informations sont justes, il porterait sur lui une carte d'identité des services d'enquête de la Défense nationale. Un jour que Lee Graham me téléphonait chez moi, je lui ai posé la question et il a aussitôt confirmé mes soupçons.

Quant à Stanton Friedman, il a raconté à plusieurs ainsi qu'à moi-même avoir participé, il y a un certain nombre d'années, « au développement d'un réacteur nucléaire pas plus gros qu'un ballon de basket-ball, destiné à propulser un avion et fonctionnant à l'hydrogène, donc non polluant... et qui roulait comme un charme ! » Ce sont ses propres paroles ! Cependant, le seul carburant qui puisse libérer de l'hydrogène au cours de la réaction dont il est question ici, c'est l'eau. Or, cette façon d'associer l'eau à la production d'énergie nucléaire correspond exactement au mode de propulsion d'au moins un type d'astronef, et les seuls, à l'époque, à en appliquer le principe étaient les aliénigènes. Stanton Friedman l'ignorait-il ? Je n'en sais rien, mais c'est tout de même étrange que ce soit l'équipe qu'il formait avec Moore et Shandera qui ait été chargée d'exécuter le plan d'urgence de Majestic 12 !

Dans les documents que j'ai lus entre 1970 et 1973, il y avait une liste de noms correspondant aux personnalités les mieux désignées pour exposer à la population ce plan d'urgence appelé Majestic 12 puisqu'elles étaient connues et respectées du public. Parmi les noms apparaissaient ceux de Bruce Macabee, Stanton Friedman et William Moore. Je ne saurais dire s'ils ont tous été recrutés, mais la suite des événements ne semble pas indiquer de compromission de la part de Bruce Macabee ; par contre, les agissements de Stanton Friedman et de William Moore sont pour le moins suspects.

Il est évident que toutes les grandes organisations de recherche en ovniologie ont été la cible du gouvernement secret, qui s'y est infiltré pour les mieux régenter comme il l'a fait avec la NICAP. Je ne doute pas qu'il ait réussi et je me demande même s'il n'a pas la main haute sur les publications relatives au phénomène ovni.

MJ-12 fonctionne encore de nos jours sur le même principe qu'à sa création et il est érigé selon la même structure qu'au début. Six de ses membres occupent les six mêmes postes clés au gouvernement, et les six autres font partie du Conseil des relations étrangères ou de la Commission trilatérale, parfois même des deux à la fois. L'agence de Majority qui coordonne tous les services de renseignements est celle que le public connaît sous le nom de « Senior Interagency Group » (SIG).

Avant de terminer, je tiens à souligner que le Conseil des relations étrangères et son rejeton, la Commission trilatérale, possèdent le contrôle des États-Unis, et je dirais même plus : ce pays leur appartient.

Avant la Seconde Guerre mondiale, ils contribuaient depuis longtemps à aider simplement le gouvernement américain dans l'élaboration de ses politiques ; mais, depuis 1945, ils sont les seuls à décider de la politique des États-Unis. À l'instar de leurs homologues étrangers, ils font rapport de leurs décisions aux Bilderburgers. Depuis la Seconde Guerre, presque tous les hauts fonctionnaires du gouvernement et de l'armée, y compris les présidents eux-mêmes, font partie de l'un ou l'autre organisme, et tous les membres de la Commission trilatérale font partie ou ont déjà fait partie du Conseil des relations étrangères.

Toutes les nations qui jouent un rôle de quelque importance dans les affaires mondiales sont dotées d'un organisme relié au Conseil des relations étrangères, et c'est par l'intermédiaire des Bilderburgers que leurs membres en coordonnent les politiques avec celles des autres nations en vue d'atteindre leurs objectifs communs. De même, les étrangers qui font partie de la Commission trilatérale appartiennent à leurs organisations respectives. Il n'est pas besoin d'avoir une grande expérience comme investigateur pour s'apercevoir au premier coup d'œil que les membres de ces deux organismes occupent les échelons supérieurs du gouvernement et dirigent l'ensemble des grandes entreprises et des grands établissements, les mass media et les institutions bancaires, bref tous les secteurs d'intérêt vital. Ils sont élus et désignés en fonction des capitaux et intérêts particuliers qu'ils ont à administrer au profit de tous, sauf hélas ! des citoyens.

Leur mentalité tout à fait antidémocratique ne représente en aucune façon celle de la majorité des citoyens des États-Unis d'Amérique. Ces profiteurs sont ceux-là mêmes qui vont décider de notre sort en départageant ceux qui pourront survivre et ceux qui devront périr dans l'holocauste qu'ils préparent pour bientôt.

Ce sont donc les Bilderburgers, le Conseil des relations étrangères et la Commission trilatérale qui constituent le noyau du GOUVERNEMENT SECRET. Ils dirigent le pays par l'entremise de Majority-12 et de la Société Jason, c'est-à-dire par les hauts fonctionnaires du gouvernement qui, pour la plupart, en sont membres.

Tout au long de l'Histoire, les aliénigènes n'ont cessé de manipuler et de régenter l'humanité par le biais de diverses sociétés secrètes, de l'occultisme, de la magie, de la sorcellerie et de la religion. Le Conseil des relations étrangères et la Commission trilatérale maîtrisent parfaitement la technologie extranéenne et exercent un contrôle absolu sur l'économie nationale. Eisenhower fut le dernier président à avoir une vue d'ensemble du dossier extranéen. Tous les présidents qui lui ont succédé n'en ont su que les seuls éléments que MJ-12 et les services de renseignements voulaient bien leur laisser savoir, et croyez-moi, c'était loin d'être la vérité.

À chaque nouveau président, MJ-12 donnait des aliénigènes l'image d'une civilisation perdue qui ne cherchait qu'à nous gratifier de dons technologiques en gage de remerciement pour leur avoir permis d'installer leurs quartiers sur notre planète et de renaître ainsi de leurs cendres. Les présidents ont gobé cette histoire à tour de rôle ou n'ont tout simplement rien su. Et, depuis tout ce temps, combien d'innocentes victimes ont à vivre les indicibles atrocités que des aliénigènes et des hommes leur font subir à titre d'expériences scientifiques dans leurs laboratoires souterrains ? Leurs procédés sont d'une telle barbarie que même les plus cruels tortionnaires nazis auraient fait figure d'enfants d'école à côté d'eux. Mais il y a pire encore : des centaines d'êtres humains sont livrés à leurs abattoirs pour servir de pâture à l'insatiable appétit des aliénigènes, qui se nourrissent de leur sang, de leurs enzymes et de leurs hormones. Plusieurs personnes, après avoir été kidnappées par eux, se sont retrouvées condamnées à vivre avec des dommages physiques et psychologiques permanents. Selon les documents que j'ai vus et dont j'ai parlé plus haut, un citoyen sur quarante serait porteur d'un implant. Je n'ai toujours pas découvert le but de ces minuscules appareils, mais le gouvernement semble croire que les aliénigènes les utilisent pour se « monter » une armée d'individus qui puisse être « mise en marche » et se retourner contre nous au signal donné. Il est important que vous sachiez qu'à l'heure actuelle nous sommes encore loin de pouvoir nous mesurer aux aliénigènes, mais leur technologie vaut-elle vraiment le prix qu'ils nous font payer ?

Le 26 avril 1989, j'ai fait parvenir au Sénat américain et à la Chambre des Représentants 536 exemplaires d'une « pétition accusatoire » et, le 23 mai 1989, je n'avais reçu que deux réponses, l'une du sénateur Daniel P. Moynihan et l'autre du sénateur Richard G. Lugar. Tous deux m'expliquaient simplement qu'ils s'étaient conformés à la procédure habituelle et avaient envoyé ma lettre aux sénateurs Cranston et Wilson de la Californie, en ayant soin de m'assurer que « mes » sénateurs verraient avec empressement à donner suite à ma requête. Il ne me reste plus qu'à attendre de voir si d'autres daigneront me répondre, peu importe l'État qu'ils représentent.

Nous avons donc affaire, en résumé, à un tableau qui se divise en quatre volets. Premièrement, il y a des hommes qui ont échafaudé une structure secrète pour étayer leur pouvoir en se basant sur la croyance que la planète Terre, soit par suite de notre propre ignorance, soit en vertu d'un décret divin, est appelée à se détruire un jour ou l'autre d'ici peu. Ils croient sincèrement être en train de poser le bon geste pour tenter de sauver l'humanité, mais il est cruellement ironique qu'ils se soient crus obligés de s'allier à une race extranéenne dont la condition était d'être elle-même engagée dans un combat désespéré pour assurer sa propre survie. Cette entreprise conjointe a nécessité, tant moralement que légalement, une foule de compromis dont on découvre aujourd'hui l'ineptie et que l'on se doit de corriger en commençant par exiger des responsables qu'ils nous rendent compte de leurs actions. Pour autant que je comprenne la crainte et l'urgence qui ont pu motiver leur décision de ne pas en parler à la population, je ne les en excuse pas davantage parce que l'Histoire est jalonnée de ces puissants groupuscules qui se sont toujours crus les seuls capables de décider du sort de millions d'êtres alors qu'ils n'ont jamais fait que provoquer des fléaux. Notre grande civilisation doit son existence même à son respect des principes de la liberté et de la démocratie. Je suis convaincu, au plus profond de moi-même, qu'aucune nation ne pourra jamais être prospère en faisant fi de ces principes. Il est temps de tout révéler au public et d'unir nos efforts pour sauver l'humanité tout entière.

Deuxièmement, nous sommes actuellement manipulés par les puissances extranéennes et les pouvoirs humains qui se sont coalisés pour asservir à leurs ambitions une partie de l'humanité. Il nous faut absolument recourir à tous les moyens dont nous pouvons disposer pour faire échec à leurs plans.

Troisièmement, les gouvernements officiels se sont fait entièrement berner par les forces extranéennes qui, quant à elles, n'ont d'autre intérêt que de nous réduire tous à l'esclavage, quitte à anéantir la totalité de l'espèce humaine. Là encore, nous devons tout faire en notre pouvoir pour les empêcher de nous détruire.

Quatrièmement, il se produit actuellement des événements qui dépassent notre entendement parce que trop de faits nous ont été cachés : mais, quoi qu'il en soit, notre première responsabilité est d'exiger la vérité, car nous ne pouvons que nous blâmer nous-mêmes d'être sur le point de récolter les fruits que nous avons produits par nos propres actions et, surtout, par notre inaction depuis 45 ans. La démocratie ne consiste pas pour un peuple à confier à quelques citoyens la grave responsabilité de sa gouverne en négligeant de veiller lui-même au grain. Est-ce par indolence, ignorance ou naïveté que nous avons abdiqué notre plus élémentaire devoir politique en cessant d'être vigilants à l'égard d'un gouvernement qui se targue d'être fondé « sur le peuple, par le peuple et pour le peuple » et dont la structure même avait été conçue pour éviter qu'une poignée d'individus puissent aussi sournoisement décider de la destinée de ce peuple ? Si nous avions accompli notre devoir, ce genre de situation n'aurait jamais pu survenir, mais la plupart d'entre nous ignorent jusqu'aux fonctions les plus fondamentales de notre gouvernement. Nous sommes décidément devenus un vrai troupeau de moutons, et à quoi sont finalement destinés des moutons sinon qu'à l'abattoir ?

Il est temps de nous relever pour nous tenir debout comme nos pères et marcher droit comme des êtres humains. Pour invraisemblables qu'ils soient, les faits que j'ai portés à votre connaissance n'en sont pas moins vrais. Je vous rappellerai seulement que les camps d'extermination nazis dépassaient aussi l'imagination et non seulement celle des Juifs d'Europe mais celle de toutes les nations de ce monde. À partir d'un certain moment, les Juifs captifs n'ont plus eu d'autre choix que de se résigner aux chambres à gaz, et pourtant ils avaient été mis en garde, eux aussi ! Adolf Hitler vous donne un avant-goût des horreurs dont les entités extranéennes sont capables, car je puis vous affirmer qu'il était lui-même manipulé par elles.

Je vous ai livré la vérité telle que je la connais sans me préoccuper de ce que vous pourriez penser de moi, car je l'ai fait avec le seul souci d'accomplir mon devoir, et ce, peu importe le sort qui pourrait m'être réservé. J'ai maintenant la conscience en paix et, quoi qu'il m'arrive, je n'ai aucune crainte à l'idée de me retrouver devant mon vrai Créateur, le Dieu de nos pères en qui je crois comme ils y croyaient eux-mêmes. Je crois aussi en Jésus-Christ, le gage de mon salut. Enfin, je crois à l'esprit de la Constitution américaine que j'ai prêté serment de protéger et de défendre contre TOUS ses ennemis, que ceux-ci viennent de l'extérieur ou de l'intérieur, et j'entends bien tenir ce serment.

Merci,

Milton William Cooper

ÉPILOGUE

J'ai récemment rencontré, par l'intermédiaire d'un ami, quelqu'un dont le témoignage a corroboré certains passages de mon dossier, intitulé MAJIC.TXT. Je suis sûr que cela va vous intéresser. Vous allez sans doute remarquer, à certains indices au cours de notre conversation, que j'ai essayé de vérifier si mon interlocuteur était vraiment au courant des faits relatés dans mon document. Il faut vous dire que je ne l'ai pas forcé à me révéler quoi que ce soit ; je lui ai simplement demandé de lire un exemplaire de mon document et de me rappeler s'il le désirait. Je ne l'ai rencontré qu'à deux reprises, la première fois pour lui être présenté, et la seconde pour entendre ses commentaires à la suite de sa lecture.

Je prenais part à une réception organisée par un ami de longue date à l'occasion de Noël quand, au cours de la soirée, cet ami m'a pris à part pour me dire que l'un de ses invités aurait sans doute quelque chose d'intéressant à me révéler relativement aux informations que je venais tout juste de publier. Son intuition s'appuyait sur le fait que cet homme avait servi dans les forces armées pendant 21 ans et qu'il avait été assigné, entre autres, aux services de sécurité Delta. Cette coïncidence ne pouvait certes pas manquer de piquer ma curiosité. Aussi ai-je demandé à lui être présenté sur-le-champ.

Dès l'abord, j'ai été impressionné par la vigueur de son physique grand, mince et droit, et la vivacité de son esprit, alors qu'il était presque septuagénaire. Seuls ses cheveux gris trahissaient son âge, mais il avait le maintien altier de celui qui est depuis longtemps rompu à la discipline militaire.

J'ai entamé la conversation en lui confiant que j'avais moi-même été longtemps engagé dans la Marine. Puis je lui ai demandé où il avait été cantonné. Il m'a répondu avoir accompli la majeure partie de son service dans le Colorado, le Nouveau-Mexique, le Névada et à la base aérienne d'Edwards en Californie. Je lui ai alors fait part de mon étonnement de ce qu'il ait pu être affecté à une base de l'Armée de l'air, lui qui était de l'Armée de terre. « C'est vrai, m'a-t-il répliqué, mais je travaillais pour les services Delta, et nous assurions la sécurité de plusieurs projets interarmes » Je lui ai ensuite demandé s'il avait déjà entendu parler du projet REDLIGHT. J'ai remarqué qu'il est aussitôt devenu mal à l'aise. Les yeux mi-clos, il a jeté un coup d'œil autour comme s'il cherchait un endroit plus discret. « C'est possible, a-t-il repris, mais vous devez bien savoir, puisque vous étiez dans la Marine, que je ne peux rien divulguer des opérations auxquelles j'étais affecté. » J'espérais le rassurer en lui expliquant que j'avais sans doute exercé le même genre de fonctions, ayant moi-même travaillé aux renseignements de la Marine pendant un certain temps. Mais, depuis que j'avais mentionné le nom de Redlight, rien n'y faisait pour arriver à dissiper son malaise.

Nous avons encore échangé quelques paroles puis je me suis excusé pour aller rejoindre mon copain, à qui j'ai demandé s'il pouvait me remettre son exemplaire de mon MAJIC.TXT. Après s'être absenté quelques instants, il est revenu avec le document en main.

J'ai attendu que le vétéran de l'armée ne prenne congé pour le suivre à son automobile. Je lui ai présenté le document pour qu'il regarde le dessin que j'avais esquissé à l'endos. Malgré sa hâte de quitter les lieux, il a néanmoins pris le temps, pendant que je l'observais en silence, d'examiner cette reproduction de l'Insigne trilatéral. Il m'a d'abord demandé où j'avais vu cet emblème et je lui ai répondu que je le tenais des services de renseignements de la Marine. Puis c'est moi qui me suis informé si lui-même le connaissait, ce à quoi il m'a dit l'avoir vu sur une pièce d'équipement. « Savez-vous de quel type d'équipement il s'agit ? » m'a-t-il demandé. « D'un appareil qui ne fait pas de bruit », lui ai-je dit. « Ainsi, a-t-il repris, vous savez exactement en quoi consiste le projet Redlight ! » J'en ai alors profité pour lui expliquer que le document qu'il tenait dans les mains contenait justement toute mon information à ce sujet et que j'aimerais bien qu'il le lise d'abord et me donne ensuite rendez-vous pour me raconter sa propre expérience par rapport à ce dossier. Je lui ai assuré que je ne révélais jamais l'identité de mes sources, donc a fortiori la sienne. Il m'a alors regardé droit dans les yeux en me prévenant que, si jamais je l'impliquais dans cette affaire en rapportant notre conversation, il n'éprouverait aucun remords à me faire passer pour un menteur devant tout le monde. Je comprenais parfaitement sa méfiance et, pour lui garantir ma bonne foi, je lui ai conseillé de s'enquérir à mon sujet auprès de notre ami commun, qu'il connaissait « depuis près de sept ans », m'a-t-il dit. Il m'a salué et est parti en emportant mon document.

Il m'a téléphoné quelques jours plus tard pour me donner rendez-vous en plein jour la veille de Noël. Nous avons convenu de nous rencontrer à une table de pique-nique dans un parc.

La première chose qu'il a dite en me voyant a été d'insister à nouveau pour que son nom ne soit jamais mêlé à ce que je pourrais faire ou dire, et il a ajouté qu'il ne voulait jamais plus me revoir après cette rencontre. J'ai accepté ses conditions et il m'a alors donné son numéro de téléphone pour que je le prévienne si jamais je découvrais par la suite que sa sécurité était compromise. Après avoir acquiescé à cette autre requête, je lui ai demandé la raison pour laquelle il avait finalement accepté de me parler de son rôle dans ce dossier. « Pour la même raison qui vous pousse aussi à en parler, m'a-t-il rétorqué. Toute cette affaire prend une très mauvaise tournure et cela ne présage rien de bon. » Je lui ai proposé de me raconter ce qu'il savait, mais il préférait que je lui pose des questions. Par ailleurs, il a refusé que j'enregistre ses réponses sur mon magnétophone, de peur qu'on identifie sa voix. Je me suis soumis d'autant plus volontiers qu'il avait tout à fait raison. Il a cependant consenti à me laisser prendre des notes par écrit.

Voici donc la reconstitution partielle de notre conversation, que je me suis empressé de rédiger aussitôt arrivé chez moi. Étant donné que je ne connaissais pas cet homme, je n'ai aucun point auquel me référer pour évaluer le bien-fondé de ses propos ou l'authenticité de ses renseignements. Par contre, je le crois sincère, car il lui aurait fallu être un acteur doué d'un talent vraiment exceptionnel pour arriver à exprimer toute la gamme des émotions qui se sont dessinées sur son visage au fur et à mesure de ses révélations.

Cooper :

Où aviez-vous vu l'Insigne trilatéral que je vous ai montré à la réception de notre ami ?

Le vétéran :

Sur une soucoupe volante que j'avais mission de surveiller à la base aérienne d'Edwards. Je l'ai revu sur différentes soucoupes quand j'ai été affecté à la zone 51 au Névada. Laissez-moi vous dire combien j'ai été étonné par la précision et la quantité de vos informations à ce sujet.

Cooper :

La plupart d'entre elles découlent de documents dont j'ai personnellement pris connaissance au début des années 70. Le reste m'a été transmis par des informateurs. Le dossier que j'ai monté est le fruit de 17 années de recherche. En outre, une bonne partie de ma documentation provient de rencontres comme celle que nous tenons en ce moment. Pouvez-vous me relater les circonstances dans lesquelles il vous a été donné de voir cette soucoupe à Edwards ?

Le vétéran :

On m'avait assigné la garde d'un hangar dont je ne connaissais même pas le contenu.

Cooper :

Quel était le nom de ce hangar ?

Le vétéran :

Il ne portait ni nom ni numéro. On l'appelait le hangar Delta.

Cooper :

Pouvez-vous me dire où il est situé sur la base ?

Le vétéran :

Il est isolé sur la partie nord, complètement à l'écart, et personne ne peut y avoir accès sans être muni d'un sauf-conduit et d'un insigne spécial.

Cooper,

À quoi ressemble cet insigne ?

Le vétéran :

À celui que vous m'avez dessiné : un triangle noir sur fond rouge. À l'endos, il porte une description du détenteur comme toute autre carte d'identité.

Cooper :

Comment êtes-vous arrivé à voir la soucoupe ?

Le vétéran :

On ne peut pénétrer dans le hangar que par une seule porte, et celle-ci donne directement sur le corps de garde. Au fond de cette salle, une autre porte donne accès à un bureau qui lui-même commande le hangar proprement dit. Il nous était strictement défendu de franchir le seuil du bureau mais, un soir, l'officier en devoir m'a demandé si je savais sur quel objet je veillais. Je lui ai répondu qu'il n'était pas dans mes attributions de le savoir. Il m'a alors demandé si j'étais intéressé à le voir. Croyant qu'il cherchait simplement à me mettre à l'épreuve, je lui ai répondu que ce n'était pas nécessaire. Il m'a fait alors signe de le suivre et nous avons traversé le bureau, puis il a déverrouillé la porte du hangar. C'est là que j'ai vu la soucoupe, posée sur ses pieds mais appuyée aussi sur des vérins.

Cooper :

Vous employez le mot « soucoupe ». Est-ce à dire que cet engin était circulaire ?

Le vétéran :

Oui, c'était exactement le genre de soucoupe volante qu'on est habitué de voir au cinéma.

Cooper :

Pouvez-vous me la décrire ?

Le vétéran :

Elle avait un diamètre de dix mètres environ et semblait faite d'un métal non brillant, comme de l'argent terni.

Cooper :

Quelle hauteur avait-elle ?

Le vétéran :

De cinq à six mètres environ. L'Insigne trilatéral y apparaissait sur les deux faces, supérieure et inférieure.

Cooper :

Avez-vous remarqué des ouvertures ?

Le vétéran :

Non, mais il faut dire que je n'en ai vu qu'un seul côté et à peine trois ou quatre minutes.

Cooper :

Avez-vous aperçu des hublots ?

Le vétéran :

Je crois qu'il y en avait tout autour de la partie supérieure, mais je ne pouvais rien distinguer à l'intérieur.

Cooper :

Étaient-ils ronds ?

Le vétéran :

Non, ils étaient rectangulaires. J'ai aussi remarqué deux rainures qui faisaient le tour de la carlingue, l'une sur la face supérieure et l'autre sur la face inférieure à un peu plus d'un mètre de l'intersection de ces deux moitiés, et une partie de la face inférieure ressemblait à des grilles ou des lucarnes.

Cooper :

L'officier vous a-t-il dit quelque chose ?

Le vétéran :

Simplement qu'il ne m'avait pas tout montré, puis nous sommes retournés au corps de garde et il est parti.

Cooper :

Étrange comportement, ne trouvez-vous pas ?

Le vétéran :

Tout ce qui avait trait à Delta était étrange, tout ce que l'on voyait, tout ce que l'on faisait... Par moments, j'ai vu des hommes éclater en larmes sans raison apparente ; et, quand un type avait le malheur de craquer, il disparaissait à tout jamais.

Cooper :

Qu'advenait-il à ces hommes ?

Le vétéran :

Je ne sais pas et je n'ai jamais cherché à le savoir.

Cooper :

Avez-vous objection à parler de vos autres expériences ?

Le vétéran :

Non, pas du tout.

Cooper :

Comment êtes-vous entré à Delta ?

Le vétéran :

J'avais d'abord été recruté dans l'Organisation de reconnaissance nationale et envoyé à Fort Carson au Colorado. Puis, après un entraînement intensif, j'ai été soumis à une sévère procédure de sélection imposée par les services de sécurité Delta, à l'issue de laquelle ils m'ont enrôlé.

Cooper :

Sur quels critères se sont-ils basés pour vous choisir ?

Le vétéran :

Premièrement, m'a-t-on dit, parce que j'étais orphelin. Imaginez un instant qu'un homme soit victime d'un accident grave dans le cadre d'opérations secrètes. S'il a de la famille, ses parents risquent de compromettre tout le projet simplement en essayant de connaître les circonstances entourant la disparition de leur cher fils.

Cooper :

Les membres des équipes Delta sont-ils tous orphelins ?

Le vétéran :

D'une certaine manière puisque leurs parents sont tous disparus, décédés depuis longtemps ou récemment, morts de maladie ou tués dans un accident.

Cooper :

N'étiez-vous pas un peu perplexe par rapport à ce critère ? Autrement dit, vous demandiez-vous en quoi pouvait consister ce secret qui semblait si important qu'on doive y assigner des orphelins ?

Le vétéran :

J'ai vu certaines choses... On racontait des histoires... au sujet de Dreamland surtout... Avez-vous entendu parler des chasseurs de primes de Dreamland ?

Cooper :

Que voulez-vous dire ?

Le vétéran :

Quand un homme est affecté à Dreamland, s'il sort en permission ou en devoir et qu'il lui prend la fantaisie de ne pas rentrer à temps ou de ne pas revenir du tout, alors sa tête est pour ainsi dire mise à prix et les chasseurs de primes se lancent à sa recherche pour le ramener dans les installations souterraines où vivent les visiteurs... Vous savez de qui je veux parler, mais je crois que je ferais mieux de me taire. De toute façon, je ne m'en souviens presque plus... et n'étions-nous pas censés nous entretenir de Redlight ?

Cooper :

Nous n'avions aucunement convenu de nous limiter à ce seul sujet. Est-ce une nouvelle condition ?

Le vétéran :

Oui, il vaut mieux parler d'autre chose. Je peux seulement vous dire qu'il se passe des choses vraiment bizarres à Dreamland.

Cooper :

Que voulez-vous dire quand vous prétendez ne plus vous souvenir ?

Le vétéran :

Je n'arrive plus à me rappeler... Je n'ai vraiment pas envie d'en parler, voilà tout...

Cooper :

Non, s'il vous plaît, ne me faites pas ce coup-là. Allez ! Vous m'en parlez ou vous ne m'en parlez pas, mais cessez de jouer avec mes nerfs ! Qu'avez-vous à ajouter sur Dreamland ? Pouvez-vous au moins me dire où c'est situé ?

Le vétéran :

Non, je cours un trop grand risque, c'est trop dangereux, et maintenant je suis marié.

Cooper :

Très bien, alors parlez-moi de la zone 51.

Le vétéran :

C'est le quartier général de Redlight. Elle est située au lac Groom dans le Névada. Celui-ci est en plein cœur d'un champ de manœuvres que vous pouvez voir en consultant une carte. Il s'agit d'un lac asséché sur le lit duquel on a érigé des installations ultra-secrètes. On y pratique des vols d'essai à bord de soucoupes volantes.

Cooper :

En avez-vous déjà vu quelques-unes voler ?

Le vétéran :

Oui, elles sont parfaitement silencieuses et se déplacent à des vitesses prodigieuses.

Cooper :

Est-ce le même type d'appareil qu'à Edwards ?

Le vétéran :

L'un des deux que j'ai vus est semblable. Quant à l'autre, il ressemble à un diamant qu'on aurait retourné à l'envers après l'avoir sorti du chaton d'une bague de fiançailles.

Cooper :

Voulez-vous dire qu'il donne vraiment l'impression du diamant ?

Le vétéran :

Pas tout à fait, mais la forme est semblable. De plus, en plein vol, il devient brillant comme le soleil et parfois même iridescent.

Par contre, au sol, il présente la même apparence de métal terne que la soucoupe d'Edwards.

Cooper :

À quelle distance de l'appareil vous teniez-vous quand vous l'avez vu ?

Le vétéran :

Assez loin puisque personne n'a le droit de s'en approcher, à cause des radiations, sans doute.

Cooper :

Entendez-vous par là qu'il était propulsé à l'énergie nucléaire ?

Le vétéran :

Je n'en suis pas certain, mais je suppose qu'il représentait un risque élevé de radioactivité puisqu'il nous fallait toujours porter un dosimètre* sur nous et aller l'échanger contre un autre à tous les jours pour le faire vérifier.

Cooper :

Combien de temps êtes-vous resté à la zone 51 ?

---

* Le type de dosimètre qu'on utilisait du temps où je servais dans la Marine consistait en une pellicule photographique insérée dans un insigne que les membres du personnel devaient épingler à leur chemise lorsqu'ils travaillaient dans des zones où ils risquaient d'être exposés à des radiations nucléaires. En raison de sa photosensibilité, la pellicule réagissait aux radiations et, selon son degré d'exposition, il était possible d'évaluer la dose exacte de radioactivité à laquelle chaque membre avait pu être exposé. Au Commandement aérostratégique, je portais un tel dispositif parce que les aéronefs d'alerte étaient équipés en permanence d'armes nucléaires. Nos dosimètres étaient vérifiés une fois par semaine. S'ils indiquaient une exposition aux radiations, il nous fallait alors nous soumettre à un processus de décontamination. Pour ma part, cette mesure n'a jamais été nécessaire pendant toute la durée de mon service.

Le vétéran :

Mon premier stage a duré trois mois. D'ailleurs, jamais personne n'y est affecté plus longtemps que quelques mois. La seconde fois, j'y ai été consigné près de cinq mois, comme en temps de guerre, sans permission de sortie ; mais il faut dire que ces quartiers sont pourvus d'excellents équipements récréatifs.

Cooper :

Je suis navré de vous talonner, mais j'aimerais vraiment en apprendre plus long sur Dreamland parce que votre témoignage ne semble pas concorder avec mes autres sources d'information. On m'a dit que la base extranéenne est située au Nouveau-Mexique. S'agirait-il de Dreamland ?

Le vétéran :

Il y a plusieurs bases... Mais je dois maintenant partir. J'ai tort de vous parler de tout cela ; je ne devrais pas, c'est beaucoup trop dangereux, bien plus que vous ne l'imaginez. Je ne suis pas au courant de tout mais je sais que la situation est complètement désespérée. À vous dire vrai, je suis très inquiet de ce que l'avenir nous réserve. Ne me demandez pas de vous expliquer, je ne sais pas de quoi il s'agit, mais je suis certain qu'il se trame quelque chose. On construit actuellement d'immenses abris souterrains sous le lac Groom et ailleurs. De toute manière, à voir votre dossier, je crois que vous êtes mieux documenté que moi à ce sujet. Maintenant, permettez que je m'en aille. C'est la veille de Noël et je demeure assez loin.

Cooper :

Avant de partir, voudriez-vous jeter un coup d'œil aux notes que je viens de prendre et les rectifier s'il y a lieu ?

Le vétéran :

Ce n'est pas la peine. J'ai observé pendant que vous écriviez, et vous n'avez rien oublié. Mais puis-je vous demander ce que vous comptez faire de ces notes ?

Cooper :

Je vais d'abord les compiler dans un dossier puis les publier sous la forme d'un dialogue en prenant garde de ne pas vous identifier.

Le vétéran :

Si, de toute façon, vous le faisiez, je vous répète que je nierais tout et vous accuserais de diffamation.

Cooper :

Soyez sans crainte, je n'ai jamais nommé mes informateurs. Si, un jour, vous aviez l'intention de me révéler autre chose, vous avez mon numéro...

Le vétéran :

Je ne pense pas. Vous auriez intérêt à être très prudent. À votre place, je ferais attention à moi et je ne rapporterais pas cette conversation. Vous devriez y réfléchir.

Cooper :

Que pensez-vous qu'il puisse m'arriver ?

Le vétéran :

La même chose qu'aux autres... Vous devriez laisser tomber... Vous... Personne n'y peut plus rien changer !

Le reste de notre conversation n'a consisté qu'en salutations d'usage. Cet homme m'a paru vraiment sincère et profondément tourmenté par ce qu'il racontait. En tout cas, il semblait se faire réellement du souci pour ma sécurité comme pour la sienne.

Il est le deuxième à me donner la description d'une soucoupe volante à la base d'Edwards. Tous deux m'ont parlé du même insigne de sécurité et ont fait également référence au fameux Dreamland. Mais c'est la première fois que j'entendais mentionner l'existence de plusieurs bases extranéennes et aussi celle des chasseurs de primes. Je crois, de plus, qu'il y a un lien significatif à établir entre l'usage des dosimètres et l'incident qui est survenu aux deux femmes dans le Texas. John Lear prétend que Dreamland est situé à Edwards. Pour ma part, je n'en connais pas l'emplacement. Cette allusion au « pays des rêves » dans le choix même du mot Dreamland me rend perplexe parce que cette désignation ne correspond pas à celles que l'armée à tendance à utiliser pour nommer ses projets ou les sites de ses opérations. J'aimerais préciser que mes informateurs m'avaient d'abord signalé que la base extranéenne était située à Dreamland ; mais, par la suite, ils se sont rétractés et ont nié cette information. Il est tout de même étrange que ce nom revienne constamment sur les lèvres à chaque fois qu'il est question de la base extranéenne ! Par ailleurs, comment savoir puisque les victimes d'enlèvement invoquent unanimement la défaillance de leur mémoire ?

En définitive, les réponses du vétéran de l'armée ne m'auront personnellement apporté que de nouvelles questions... encore plus troublantes !

OPÉRATION
« CHEVAL DE TROIE »

La terre aux mains
des Petits Gris

AVANT-PROPOS

Notre civilisation s'intéresse activement au phénomène ovni depuis une quarantaine d'années et, tout au long de cette période, une foule d'observations ont été recueillies. Cependant, un grand nombre de données relatives à certains aspects du phénomène ont souvent été supprimées. Ce clivage de l'information a eu pour effet de fragmenter notre culture en plusieurs niveaux de « réalité » qui, tout en coexistant, s'opposent néanmoins les uns aux autres. C'est ainsi qu'une partie de notre culture ne croit pas ou ne veut pas croire à l'existence d'autres espèces, alors qu'une autre partie reconnaît leur existence ou tout au moins en admet la probabilité, tandis qu'une troisième partie va même jusqu'à entretenir des liens réels avec ces autres espèces. Or, le fait que ces divers points de vue existent simultanément contribue à provoquer la situation d'extrême confusion dans laquelle nous nous trouvons actuellement.

Les ufologues suivent évidemment la même tendance. Les uns abordent le sujet d'un point de vue purement empirique ; les autres cherchent à établir des modèles et des rapports fonctionnels à partir des événements ; d'autres encore se risquent à poser les bonnes questions au bon moment, et ceux-là obtiennent des réponses, parmi lesquelles il en est de fort troublantes qui semblent tenir du conte de fées.

En définitive, tant sur le plan de la psychologie que de la physique, nous avons affaire à de tout nouveaux concepts. Nous sommes de plus en plus conscients non seulement de ne pas être seuls ici-bas, mais de ne l'avoir jamais été. Et, comme si cette révélation ne nous suffisait pas, nous découvrons du même coup que des factions de notre société le savaient déjà. Apparemment, elles entretiennent des rapports avec ces espèces aliénigènes depuis fort longtemps.

La conclusion de ceci est que depuis toujours l'humanité a été orientée dans une fausse direction et conduite sur une voie tortueuse jonchée d'un agrégat de conspirations et entravée par un amoncellement d'informations biaisées. Du côté humain, le motif en est le savoir technologique et le pouvoir absolu. Du côté extranéen, le mobile semble être la survie, du moins pour ce qui concerne une certaine race de spationautes.

Le propos du présent document est d'exposer au grand jour les détails de cette conspiration, Il ne vous est pas demandé d'y croire, mais simplement d'en observer la manifestation à la lumière de ce qui s'est produit dans le passé, de ce qui arrive actuellement et de ce qui est en train de se tramer juste sous votre nez. Par contre, si vous n'estimez pas avoir l'estomac assez solide pour assimiler ces notions ou si vous ne pensez pas pouvoir en supporter les conséquences, n'allez pas plus loin.

DEUX MESSAGES
DE RONALD REAGAN

Pour ceux d'entre vous qui ont appris à décrypter les messages des hommes politiques, voici un extrait particulièrement intéressant d'une allocution que le président Reagan a livrée aux étudiants de l'école secondaire de Fallston, au Maryland, le 4 décembre 1985 :

« Un jour que je m'entretenais en privé avec le secrétaire général d'U.R.S.S., monsieur Gorbatchev, je n'ai pu m'empêcher de lui dire – songeant tout à coup que nous sommes tous des enfants de Dieu, peu importe où nous sommes nés et où nous vivons – combien faciles seraient sa tâche et la mienne lors d'une rencontre comme celle-là si notre monde se trouvait subitement menacé par quelque espèce provenant d'une *autre planète* de l'univers. Nous ferions aussitôt fi des petits différends locaux qui opposent nos pays et nous comprendrions enfin une fois pour toutes que nous appartenons vraiment tous ensemble, ici-bas sur terre, à une seule et même humanité ! Or, je ne crois pas qu'il nous faille attendre l'arrivée d'aliénigènes menaçants ... »

Que dire, maintenant, de cet autre passage tiré de son discours à la 42ᵉ Assemblée générale des Nations unies le 21 septembre 1987 :

« Nous sommes tellement obsédés par nos antagonismes du moment que nous ne songeons presque jamais aux puissants liens qui unissent tous les membres de l'humanité. Peut-être y penserions-nous davantage si nous étions exposés à une *menace extra-terrestre*. Il m'arrive, à l'occasion, de méditer là-dessus et de contempler avec quelle promptitude nous mettrions fin à nos conflits internationaux pour défendre notre existence face à *un ennemi commun*. Or, je vous demande un peu, cette force étrangère n'est-elle pas déjà infiltrée parmi nous ? Y a-t-il rien de plus étranger, en effet, aux aspirations universelles de nos peuples que la guerre et la menace qu'elle représente pour la survie même de l'humanité ?... »

Ronald Reagan aurait-il eu vent de ce qui se prépare d'ici les cinq prochaines années ?

TAXINOMIE GÉNÉRALE DES ALIÉNIGÈNES

Il a été dénombré à ce jour une quarantaine de races d'aliénigènes. La nomenclature qui suit décrit celles qui fréquentent le plus souvent notre planète.

Les Grands Blonds

Semblables aux êtres humains, ils ont les cheveux blonds et les yeux bleus. Ils ne briseront pas la loi de non-ingérence pour nous venir en aide ; ils interviendront seulement si les activités des Petits Gris risquent d'affecter d'autres parties de l'univers.

Les Grands Blonds se répartissent en deux types selon le mode de transmission de leur pensée. Les uns, comme nous, font usage de la parole pour s'exprimer tandis que les autres peuvent communiquer directement entre eux par télépathie. S'ils sont attaqués ou menacés, les premiers riposteront avec violence, mais les seconds réagiront pacifiquement.

Les Grands Blonds ne semblent jamais vieillir. Ils conservent perpétuellement l'apparence d'un homme ou d'une femme de 27 à 35 ans. Dans les siècles anciens, ils ont quelquefois été confondus avec les anges.

Les géants

Alliés aux Grands Blonds, ils ont aussi la même apparence que nous mais peuvent mesurer jusqu'à 3 m.

Les êtres interdimensionnels

Foncièrement pacifiques, ils peuvent revêtir une grande variété de formes.

Les nains velus

Leur taille s'élève à 1,20 m et leur poids à 15 kg environ. Neutres, ils respectent les formes de vie intelligentes.

Les mini-androïdes

Mesurant de 45 à 75 cm et ayant le teint bleuté, ils ont été fréquemment aperçus près de Chihuahua au Mexique.

Les clones de type aryen

Créés par les Petits Gris, ils nous ressemblent mais ont la peau grisâtre et le niveau mental d'un mongolien.

Les Petits Gris

La physiologie de cette race est la mieux connue parce que de nombreux spécimens ont pu être étudiés au début des années cinquante par suite de l'écrasement de plusieurs de leurs astronefs. Ils constituent ces « entités biologiques extra-terrestres » dont l'abréviation est E.B.E.

La taille moyenne de la plupart des individus observés se situait entre 90 et 115 cm. Selon les standards humains, la tête était proportionnellement plus grosse par rapport au corps et les yeux étaient plus éloignés l'un de l'autre, plus grands, plus creux, plus allongés et légèrement inclinés vers le haut, de type mongoloïde. On n'a remarqué ni orifices ni pavillons d'oreilles sur les côtés de la tête. Le nez était indéfini, laissant à peine voir un ou deux trous en guise de narines. La bouche se résumait le plus souvent à une mince fente, et parfois même il n'y en avait pas du tout, ce qui porte à croire qu'elle ne sert ni à la communication ni à la manducation.

Le cou était si frêle qu'il était à peine visible lorsque, dans certains cas, les vêtements étaient très ajustés au col. La plupart des aliénigènes récupérés étaient chauves, quoique certains présentaient une petite touffe sur le sommet du crâne alors que d'autres semblaient avoir une calotte crânienne en argent. L'absence de canal respiratoire et d'appareil phonateur laisse supposer chez eux l'apanage d'une intelligence supérieure et l'exercice de facultés télépathiques. Cette hypothèse s'est trouvée renforcée par la découverte, dans le lobe frontal droit de l'un des sujets, d'une ouverture qui recelait un délicat réseau cristallin suggérant le développement d'un troisième cerveau.

Les bras étaient minces et longs, s'étendant jusqu'au niveau des genoux. Les mains ressemblaient à des serres d'oiseau rapace et étaient dépourvues de pouce. Chacune était munie de quatre doigts mais, au total des deux mains, trois doigts étaient nettement plus longs que les cinq autres, même très longs chez certains individus et beaucoup plus courts chez d'autres.

Il n'a été fourni aucune description détaillée des jambes et des pieds, si ce n'est qu'ils étaient très peu développés. Les pathologistes ont indiqué que cette atrophie des membres inférieurs, liée à l'existence de palmures interdigitales dans la majorité des cas, était le propre de espèces adaptées à la vie aquatique.

La plupart des observateurs ont noté que la peau était grise, parfois teintée d'une nuance beige, ocre ou rosée. L'absence de phallus et d'utérus confirmerait la thèse que cette espèce, n'ayant pas la faculté de se reproduire génitalement, doive recourir au clonage pour se perpétuer comme certains informateurs l'ont mentionné. Ceci expliquerait donc le fait que ces aliénigènes présentaient tous des caractéristiques raciales et biologiques identiques, comme s'ils étaient formés dans un même moule. En outre, ce n'est pas du sang qui circulait en eux, mais un liquide grisâtre.

Les Petits Gris se divisent en trois types :

Type 1 :

Ils vénèrent la technologie et ne nous respectent guère. Ce type d'êtres a été popularisé par Whitley Streiber dans son récit *Communion*.

Type 2 :

Ils ont une allure générale qui s'apparente au type 1, quoique leur visage soit légèrement différent, de même que la disposition de leurs doigts. Plus raffinés que les Petits Gris de type 1, ils font preuve d'un certain degré de bon sens et sont quelque peu passifs. Nous ne savons pas s'ils ont besoin de se nourrir des mêmes sécrétions que ceux du type 1.

Type 3 :

Ils présentent les mêmes caractéristiques fondamentales mais occupent une position subalterne face aux deux autres types.

Les Hommes en noir (MIB – Men in Black)

Tout bien considéré, le phénomène ovni a plutôt pris des allures de cirque depuis quelque temps, et l'une des attractions les plus intrigantes et les plus controversées nous en est certainement fournie par ces acteurs de coulisse que sont les mystifiants Hommes en noir. Les témoignages de leurs visites attisent fortement la suggestibilité de l'imaginaire collectif. On se représente de mystérieux personnages aux vêtements sombres qui cherchent à réduire au silence les témoins d'ovnis. Or, je puis confirmer ce fait puisqu'ils m'ont effectivement rendu visite, et pas seulement à moi mais aussi à d'autres personnes que je connais.

Le scénario habituel est le suivant. Quelqu'un voit un ovni ou vit une expérience associée au phénomène. Peu après, il reçoit la visite d'un ou de plusieurs hommes à l'apparence insolite qui lui relatent son expérience dans le menu détail, alors même qu'il n'en a glissé mot à personne par crainte du ridicule ou pour toute autre raison. Ils le mettent en garde de ne pas raconter son histoire à la volée, allant même parfois jusqu'à le menacer personnellement, tantôt à mots couverts, tantôt sans détour. Par un moyen ou un autre, ils effectuent, s'il y a lieu, la saisie de toutes les preuves. Quelquefois, ils se présentent sans motif valable et font à peine allusion aux ovnis, si tant est qu'ils en parlent. Mais, dans tous les cas, ils restent fidèles à leur image.

La conception classique des Hommes en noir est celle d'individus sans âge et de taille moyenne, entièrement de noir vêtus, toujours coiffés d'un chapeau et portant fréquemment un chandail à col roulé. Leur apparence est surtout décrite comme « étrange » ou « insolite ». Ils parlent d'une voix monotone et sans âme, « comme des machines ». Ils ont le teint foncé, les pommettes saillantes, les lèvres minces, le menton pointu et les yeux légèrement inclinés vers le haut, avec des pupilles verticales, comme les chats. Il faut toutefois préciser que quelques-uns ont été rapportés avec le teint pâle et la peau grisâtre, et certains avec les cheveux blonds. Quant aux autres caractéristiques, elles demeurent les mêmes. Leur comportement généralement mécanique leur a valu d'être quelquefois comparés à des robots ou à des androïdes.

Les prétextes qu'ils invoquent pour justifier leurs intrusions sont souvent absurdes. Ils s'introduisent à titre de vendeurs itinérants, de techniciens pour la compagnie de téléphone ou de représentants pour des organismes quelconques, officiels ou non. Ils se déplacent habituellement dans de grosses voitures de luxe – des Buick, des Lincoln, parfois des Cadillac – toujours noires, évidemment. La nuit, ils circulent tous feux éteints, à l'exception d'une lueur blafarde de teinte pourpre ou verdâtre qui éclaire l'intérieur de ces automobiles dont les portières affichent parfois des insignes inconnus et dont les plaques portent une immatriculation impossible à identifier ou à retracer.

Certains de ces « bonshommes » ont maintes fois révélé des aspects d'eux-mêmes fort curieux, tel ce visiteur à la carrure exceptionnelle qui s'était rendu au domicile d'un homme d'affaires de Wildwood au New Jersey. Quand il s'était assis, la jambe de son pantalon s'était relevée en laissant apparaître un fil vert greffé à la peau et courant le long de la jambe. Dans un autre cas, des Hommes en noir se tenaient aux abords d'un champ couvert de boue à la suite d'une averse ; leurs souliers luisants étaient pourtant exempts de toute trace de saleté. Ailleurs encore, par des froids mordants, ils surgissaient de nulle part, vêtus seulement d'un paletot léger.

Leurs chaussures et leurs mallettes semblent toujours neuves, comme si elles n'avaient jamais servi. Leurs vêtements seraient confectionnés, semble-t-il, dans un tissu d'un nouveau genre, étrangement luisant et mince sans être soyeux.

Il est évident qu'ils n'agissent pas seuls. Ils auraient apparemment des complices au sein des grandes sociétés nationales comme la poste et le téléphone. Les chercheurs et les témoins remarquent qu'une quantité anormale de leur courrier est égarée et qu'ils sont souvent incommodés par des appels importuns dont les auteurs sont plutôt bizarres, avec des voix inhumaines, à la sonorité métallique. À force de percevoir des bruits inhabituels, chaque fois qu'ils font référence aux ovnis, et d'entendre des voix qui interfèrent au beau milieu de leurs conversations téléphoniques, ils en sont venus à soupçonner que leurs lignes étaient placées sur table d'écoute.

Selon toute vraisemblance, nous avons affaire à des individus dont le rôle est indéniablement lié, d'une manière directe et définie, aux ovnis eux-mêmes ou à la source de ces objets. Néanmoins, ces mêmes hommes semblent parvenir à se fondre avec discrétion dans le cadre même de nos existences quotidiennes.

La première fois où l'on a fait mention des Hommes en noir remonte à l'incident de l'île Maury en 1947. Ils avaient été aperçus près d'un endroit où des débris avaient été éjectés d'un appareil en forme de disque. Peu après, des fonctionnaires avaient donné ordre de charger ces débris à bord d'un bombardier. Or, celui-ci s'écrasa au décollage !

J'ai rassemblé quelques éléments qui illustrent un peu l'aspect insolite de certains incidents où entrent en scène les Hommes en noir :

— un vétéran de l'Armée de l'air est interrogé par des Hommes en noir après avoir appris le contenu de documents classés secrets par la N.A.S.A.,

— un adolescent se voit saisir des photographies d'ovnis prises au téléobjectif et subit d'âpres menaces de la part des Hommes en noir ;

— des gens voient des Hommes en noir quitter le hall du Département d'État américain en y laissant un objet de fabrication mystérieuse ;

— des Hommes en noir réduisent des témoins au silence en tant qu'officiers de l'aviation militaire ;

— un Homme en noir essaie d'acheter du Coca-Cola avant les heures d'ouverture et chante aux oiseaux perchés dans les arbres ;

— un Homme en noir désintègre une pièce de monnaie placée dans la main d'un témoin et le menace d'en faire autant avec son cœur s'il raconte ce qu'il a vu.

On ne saurait parler des Hommes en noir sans mentionner le nom de John Keel, sans doute l'écrivain le plus prolifique sur le sujet. Il avance l'hypothèse que les ovnis feraient partie intégrante de notre propre environnement mais surgiraient d'un autre continuum espace-temps. La plupart de ces phénomènes seraient d'ordre psychique ou psychologique plutôt que physique. Quant à moi, je ne définirais pas la question tout à fait de cette manière, mais il est certain que ces deux composantes y tiennent un rôle important.

Des aliénigènes miniatures

Dans l'innombrable lot d'informations qui s'est amoncelé relativement au phénomène ovni, une grande quantité a été négligée ou simplement ignorée, et les publications spécialisées y font rarement référence, sans doute parce qu'elles ne veulent pas mettre leur crédibilité en cause, car ces descriptions semblent sortir tout droit des contes de fées. Dans ce lot, néanmoins, apparaissent des centaines de témoignages concernant tous un même type d'aliénigènes. Il s'agit de personnages minuscules qui font penser aux farfadets et aux lutins.

En plus des effets secondaires habituellement décelés dans la plupart des cas « conventionnels », les témoins de ce genre particulier de visites subissent d'autres désagréments, parmi lesquels des conjonctivites, une paralysie temporaire et de l'amnésie. J. Russell Jenkins a étudié, entre autres, un cas survenu à la fin du mois d'août 1965, dans lequel une citoyenne de Seattle, dans l'État de Washington, après s'être réveillée vers deux heures

70

de la nuit, s'était rendu compte qu'elle ne pouvait plus bouger ni émettre un son.

Aussitôt après, par la fenêtre ouverte était entré un objet gris terne de la grosseur d'un ballon de rugby. Cet astronef miniature flotta doucement vers la descente de lit, puis déploya trois pieds et se posa délicatement sur le sol de la chambre. Il déroula ensuite un petit escalier, que descendirent bientôt cinq ou six êtres minuscules vêtus d'une combinaison moulante. Ils s'affairèrent quelque temps à de menus ajustements sur leur appareil avant de remonter à bord et de s'envoler par où ils étaient arrivés. C'est alors seulement que la dame put retrouver l'usage de ses membres et de la parole.

Vous comprenez sans doute, maintenant, pourquoi de tels récits sont très rarement publiés ailleurs que dans les ouvrages occultes. Néanmoins, si nous tenons à faire toute la lumière sur la question extranéenne, nous ne pouvons pas nous permettre de négliger l'un ou l'autre aspect sous prétexte qu'il nous semble invraisemblable, et nous ne pourrons jamais connaître la vérité en nous limitant aux seuls phénomènes que notre raison peut accepter ou que nos émotions peuvent supporter.

MUTILATIONS D'ANIMAUX

Chronologie générale

Au milieu de l'année 1963, une série d'attaques contre du bétail a été signalée dans le comté de Haskell au Texas. Un cas typique fut ce bœuf Angus que l'on retrouva avec la gorge tranchée et une blessure circulaire à l'estomac, d'environ 15 cm de diamètre. Les citoyens attribuèrent ces assauts à une quelconque bête sauvage, une sorte de « loup-garou », et, comme celle-ci réitéra ses razzias un peu partout dans le comté, la créature assoiffée de sang prit bientôt des proportions quelque peu mythiques et se vit affublée d'un sobriquet destiné à lui rester : le *Haskell Rascal* (le « gredin de Haskell »).

Des assauts du même genre furent sporadiquement rapportés durant une dizaine d'années. Le plus célèbre des rares comptes rendus de ce que l'on décrivait parfois en termes de « mutilations » concerna Snippy, un cheval du sud du Colorado qui fut ainsi abattu en 1967. La presse mondiale couvrit l'événement et la commission Condon institua une enquête parce que des témoins avaient signalé la présence d'un ovni dans la même région au moment du massacre.

C'est en 1973 que l'actuelle vague de mutilations d'animaux a véritablement commencé à déferler. Cette année correspond à la période qu'il est généralement convenu de considérer comme la dernière attaque concertée de la part des ovnis, quoiqu'il soit justifié de mettre en doute cette affirmation si l'on tient compte des événements qui surviendront deux ans plus tard.

En 1973 et 1974, la majorité des cas classiques de mutilations sont réputés provenir de la région centrale des États-Unis.

En 1975, un massacre sans précédent s'étend aux deux tiers de l'Ouest américain. Les comptes rendus, qui atteignent alors un sommet, mentionnent aussi la présence d'ovnis et d'hélicoptères banalisés.

En 1978, les assauts augmentent.

En 1979, de nombreuses mutilations de bétail sont rapportées sur le territoire canadien, particulièrement en Alberta et en Saskatchewan, et continuent de survenir aux États-Unis.

En 1980, leur nombre s'accroît aux États-Unis. Depuis cette date, les mutilations semblent moins fréquentes, mais cette baisse apparente s'explique en partie par la répugnance de plus en plus marquée des fermiers et des éleveurs à les signaler. Ces massacres n'ont toutefois pas cessé. Plus de dix mille bêtes ont été tuées aux États-Unis seulement, et le même scénario se répète partout dans le monde.

Si l'on veut démontrer que ces mutilations résultent d'une opération systématique, il nous faut d'abord établir que certains facteurs liés aux actes eux-mêmes ont été dirigés intentionnellement. Or, l'ablation d'organes externes et internes et leur subtilisation ont été méthodiquement pratiquées sur des milliers d'animaux depuis 1960, et ce principalement sur du gros bétail. L'inquiétante précision de ces résections laisse supposer le recours à des techniques et à des équipements hautement sophistiqués. S'ajoutant à la quantité et à la constance des interventions, l'apparente désinvolture avec laquelle les carcasses sont abandonnées témoigne de l'outrecuidance, voire de l'arrogance, des mutilateurs, comme si ces derniers jouissaient d'une pleine liberté d'action dont ils pouvaient se prévaloir impunément dans la poursuite de leurs opérations.

De mystérieux hélicoptères

En étudiant minutieusement la question, j'ai découvert un détail des plus intéressants concernant un phénomène dont la persistance permet d'écarter l'hypothèse d'une simple coïncidence. Il s'agit de mystérieux hélicoptères ayant été aperçus en train de survoler la région des mutilations au moment même où celles-ci étaient constatées. Le plus souvent, ces appareils ne portent aucun signe d'identification ou parfois les inscriptions ont été repeintes. On signale les voir fréquemment voler à des altitudes inhabituelles sans respecter les normes réglementaires de sécurité. On remarque aussi qu'ils s'esquivent dès qu'ils se savent repérés tant par un civil que par un agent de la paix. Certains témoins oculaires relatent même avoir été victimes d'une attitude agressive de la part de ces équipages qui les prenaient en chasse en planant au-dessus d'eux avant de les « engourdir » ou, pis encore, d'ouvrir le feu.

Quelques hélicoptères ont été surpris alors qu'ils effectuaient des vols stationnaires au-dessus des troupeaux. Ils prenaient la fuite en laissant derrière eux le cadavre mutilé d'une bête. Il est généralement possible de les apercevoir dans les jours qui précèdent ou qui suivent une mutilation.

Cet exposé sur les mystérieux hélicoptères a simplement pour but de démontrer que cet aspect du problème mérite examen. Depuis déjà de nombreuses années, on rapporte l'existence de ces hélicoptères banalisés aux caractéristiques étranges.

Ils volent à très basse altitude et le bourdonnement des hélices est imperceptible de loin. En outre, lorsqu'ils se rapprochent, ce bruit paraît artificiel.

Ce n'est toutefois pas en liaison avec les mutilations d'animaux qu'ils ont d'abord été mis en lumière. Ils étaient alors associés à un phénomène encore plus répandu, celui des « avions fantômes » à ailes fixes. Ils avaient même été vus, dans plusieurs pays, à l'intérieur de zones parcourues par les ovnis. Selon certains comptes rendus parmi les plus intéressants, ces mystérieux hélicoptères apparaissaient en même temps que les ovnis ou aussitôt après leur passage.

Le cas le plus pertinent qui me vient à l'esprit – et ce n'est certainement pas un cas isolé – est celui que Virgil Armstrong décrit dans sa conférence sur « *Ce que la N.A.S.A. ne nous a pas dit à propos de la Lune* », dans laquelle il effleure la question des hélicoptères et des ovnis.

Armstrong relate une mésaventure qu'il a vécue avec des amis. L'un d'eux avait mis au point un appareil spécial en vue d'obtenir de meilleures photographies d'ovnis. L'appareil était monté sur un canon à laser. Le principe consistait à émettre le rayon en direction d'un éventuel ovni dans l'espoir que le jet de lumière l'amènerait à s'immobiliser. C'est alors qu'il pourrait prendre, tout à son aise, des photos de qualité.

Peu après ils se rendirent dans le désert et y aperçurent effectivement un ovni. Le laser ayant produit l'effet escompté, le disque s'arrêta en flottant au-dessus du sol. Ils eurent ainsi le loisir de prendre quantité de bonnes photos avant que l'astronef ne s'éloigne.

À peine quelques minutes plus tard, ils entendirent le roulement typique d'une escadrille d'hélicoptères qui se rapprochait. Ces derniers atterrirent en formation stratégique autour du groupe de chercheurs. Il en surgit aussitôt un peloton de Bérets noirs, ce corps de l'Armée de l'air chargé d'assurer la sécurité stratégique. Le capitaine en chef s'avança en leur demandant la raison de leur présence à cet endroit. Le responsable du groupe répondit sur un ton ironique : « Nous sommes ici pour photographier des objets volants. D'ailleurs, nous venons tout juste de prendre de très bonnes photos d'une soucoupe volante » Le commandant lui demanda alors s'il connaissait cette région et, devant sa réponse négative, ajouta : « Je vous conseille de déguerpir tout de suite ! » Le chef du groupe rétorqua : « De quel droit nous ordonnez-vous de partir d'ici ? S'agit-il d'une zone gouvernementale ? » Le capitaine des Bérets noirs répliqua : « C'est en effet la base militaire d'Andrews de la Défense aérienne et, si vous n'êtes pas partis dans dix minutes, vous serez mis aux arrêts » Tout en parlant, le commandant avait ouvert l'appareil-photo et en avait retiré la pellicule. Le groupe n'eut d'autre choix que d'obtempérer.

Cette anecdote n'illustre pas seulement la relation entre hélicoptères et ovnis ; elle nous révèle aussi deux possibilités inquiétantes : ou bien ces disques nous appartiennent, ou bien nous entretenons des rapports militaires et gouvernementaux avec ceux qui les pilotent. (Les hélicoptères dont il est question ici ne correspondent toutefois pas aux énigmatiques appareils mentionnés plus haut ; ils font partie du matériel régulier de l'armée américaine.)

Un autre cas d'association entre les hélicoptères militaires et ce genre de disques nous est donné par Wendelle Stevens dans son livre intitulé *UFO Crash at Aztec* (« Écrasement d'un ovni à Aztec »). Il relate un incident qui s'est produit à proximité de la zone 51, au lac Groom, sur la base militaire de Nellis de la Défense aérienne, située au nord de Las Vegas.

Un Amérindien y faisait une excursion en montagne lorsqu'il perçut un bruit d'hélicoptères. Ceux-ci diffusaient un avertissement public à tous les citoyens de la région à l'effet qu'un « dangereux exercice militaire » était sur le point d'avoir lieu. En retournant à leurs installations du lac Groom, ils survolèrent, sans le voir, l'Amérindien qui s'était tapi dans les rochers. Après quelques instants, celui-ci vit remonter du canyon deux hélicoptères qui encadraient un disque noir s'élevant légèrement au-dessus d'eux. Tous trois survolèrent la montagne, puis les deux appareils militaires firent demi-tour vers leur base, suivis peu après par le disque.

Les situations qui impliquent des hélicoptères banalisés semblent plus pernicieuses. À preuve cet événement qui s'est produit dans le comté de Madison, au Montana, entre juin et octobre 1976, période durant laquelle on a dénombré vingt-deux cas de mutilations de bétail. Des rapports provenant de tous les coins du comté faisaient état de silencieux hélicoptères noirs dépourvus de tout signe d'identification. À cela s'ajoutait la description de lumières insolites aperçues dans les airs ou au sol, des sortes de clignotants ou de balises lumineuses. Il était aussi question d'avions banalisés, à ailes fixes, ainsi que de fourgons blancs se trouvant dans des lieux éloignés et jusque-là inaccessibles.

Un jour, vers la fin de cette période au début de l'automne, un chasseur venant de Bozeman, au Montana, se promenait seul dans la région des Red Mountains près de Norris, aux environs de 15 heures, quand il aperçut un hélicoptère noir non identifié qui alla se poser derrière une colline avoisinante. Piqué de curiosité, le chasseur ne put s'empêcher de gravir le coteau. L'appareil était au sol depuis un moment déjà et pourtant le moteur roulait toujours. Notre observateur crut qu'il s'agissait d'un Jet Ranger Bell. Sept hommes en étaient vraisemblablement descendus et marchaient maintenant dans sa direction. Le chasseur s'avança vers eux en les saluant du geste et de la voix. C'est alors qu'il se rendit compte que tous ces hommes s'apparentaient au type oriental, avec les yeux en amande et le teint olivâtre. De plus, ils se mirent à baragouiner entre eux dans un dialecte étranger. Ils ne portaient pas d'uniformes mais des vêtements « de tous les jours ». Soudain ils firent volte-face et s'éloignèrent. Le chasseur se lança à leur poursuite en gesticulant et en vociférant. Les « Orientaux » pressèrent le pas. Quand il les eut rejoints à moins de deux mètres, ils se précipitèrent à perdre haleine et s'engouffrèrent dans l'hélicoptère qui décolla aussitôt.

Lors d'une vague d'observations en Angleterre, il est fait mention de passagers à l'apparence orientale aperçus dans un hélicoptère non identifié. Depuis des années ces personnages aux yeux bridés et à la peau olivâtre sont au cœur du phénomène ovni. En outre, un nombre significatif de ces individus mal famés que sont les « Hommes en noir » ont la même apparence, cependant qu'ils sont très souvent décrits comme étant maigres, ayant le teint pâle et portant des verres fumés en raison de la sensibilité de leurs yeux à la lumière.

Le 8 avril 1983, un journal de Denver, au Colorado, publia une lettre anonyme dans laquelle l'auteur prétendait que les mutilations étaient l'œuvre d'une section gouvernementale secrète appelée DELTA. Selon ce correspondant, les animaux servaient à expérimenter des substances toxiques telles que le cyanure et la dioxine en vue de mettre au point des armes bactériologiques contre les citoyens américains. Les hélicoptères noirs attachés à ce programme serviraient, entre autres, à transporter de l'héroïne et de la cocaïne. Les bases Delta consisteraient en installations souterraines aménagées dans les réserves indiennes. La majeure partie de la flotte serait stationnée au quartier général des opérations, lequel serait situé sur la réserve Laguna à une soixantaine de kilomètres au nord-est d'Albuquerque au Nouveau-Mexique.

Quand l'agent Rommel du F.B.I. institua une enquête au coût de 50 000 $ relativement aux mutilations fréquemment rapportées dans une certaine région du Nouveau-Mexique, celles-ci cessèrent aussitôt.

Hélicoptères et ovnis

À 4 h 30 le matin du 21 août 1975, un shérif pilotait son avion dans le sud-ouest du Nebraska quand il aperçut un hélicoptère banalisé. Il le prit en chasse, mais l'hélicoptère éteignit aussitôt ses feux et disparut. Le shérif fut intrigué de constater qu'il survolait alors une base de missiles.

Il n'est pas rare que des ovnis soient signalés dans le voisinage des sites de lancement de missiles nucléaires. De plus, après leur passage, on a remarqué que l'orientation des rampes est souvent modifiée de sorte que les missiles ne visent plus les mêmes cibles. Parfois même, ces changements nécessitent le remplacement des ogives.

Les ovnis semblent avoir la propriété de se rendre visibles et invisibles à volonté. Ils sont vraisemblablement capables de passer d'une dimension à une autre en se matérialisant et en se dématérialisant. En outre, ils peuvent « se transformer » au sein d'une même dimension, comme cet autre hélicoptère qu'un éleveur a vu se changer en soucoupe volante avant de s'introduire dans un immense vaisseau spatial de plus de cent mètres de long sur vingt mètres de haut.

Dans le N° 5 de *Stigmata* (automne-hiver 1978), Tom Adams propose une série d'hypothèses pour expliquer la relation entre les mutilations et les hélicoptères. Sur ces derniers il retient, entre autres, les suivantes :

1) ce sont des ovnis trafiqués de telle sorte qu'ils soient pris pour des appareils terrestres ; ou

2) ce sont des propriétés du gouvernement américain opérant pour le compte de la Défense nationale, et

   a) ils sont directement impliqués dans l'affaire des mutilations, ou

   b) ils ne sont pas impliqués dans cette affaire mais font enquête à son sujet, ou

   c) ils connaissent l'identité et les motifs des mutilateurs, et cherchent, par leur présence, à détourner l'attention du public sur la possibilité d'une implication militaire.

Selon Tom Adams, la réponse pourrait bien résider dans une combinaison de ces différentes hypothèses. D'autres ont avancé que ces opérations pourraient faire partie d'un programme expérimental sur les armes biochimiques ou d'un projet de prospection géophysique sur les dépôts de pétrole et de minerai, mais j'en doute.

On a un jour trouvé, sur le site d'une mutilation, un bistouri d'un modèle courant dans l'armée. Étant donné que les disques ont été largement impliqués dans cette affaire, je suis porté à croire qu'il s'agit là d'une manœuvre de diversion.

Certains ovnis peuvent quelquefois atteindre des proportions gigantesques. Le 22 juin 1980, un appareil de plus de 15 km de diamètre fut aperçu au-dessus des gisements pétrolifères du Kuweit. Le 30 juillet 1985, un ovni semblable volant vers le sud fut signalé par le pilote d'un chasseur chinois au-dessus de la Mongolie. L'édition japonaise du *Times* mentionna l'incident mais les États-Unis n'y accordèrent aucun intérêt.

Le 14 septembre 1978, un astronef aussi gros qu'un paquebot transatlantique survola l'Italie et plus précisément la ville de Rome au cours des deux nuits suivantes, coïncidence pour le moins insolite si l'on songe que le pape Jean-Paul I s'est éteint deux semaines plus tard dans des circonstances plutôt douteuses. Le fait que les autorités aient refusé l'autopsie tend à confirmer l'hypothèse voulant que Jean-Paul I ait été assassiné pour faire échec à son intention de dévoiler le message de Fatima.

D'autre part, les études de Trevor James Constable ont démontré que les ovnis présentaient parfois la forme de cellules vivantes, telles des amibes qui voyageraient dans l'atmosphère comme les globules se déplacent dans le sang. Dès lors, n'est-il pas logique de se demander si certains virus ne seraient pas simplement la matérialisation microdimensionnelle d'organismes unicellulaires que l'on perçoit macrodimensionnellement comme étant des ovnis protoplasmiques ? Il ne faut pas oublier que la propension humaine à éviter de faire franchement face aux faits lorsque ceux-ci s'avèrent déplaisants constitue peut-être la meilleure façon de permettre à toutes sortes d'entités parasitaires d'avoir prise sur nous.

Dans les régions rurales, les apparitions d'ovnis semblent commencer vers 22 h tandis que, dans les zones populeuses, elles débutent plus tard, soit entre 2 h et 4 h. Pour une raison quelconque, le mercredi est le jour de la semaine où, avec un taux de 20,5 %, les vagues d'ovnis se produisent le plus fréquemment. Or, si ce phénomène était purement psychologique, je pense bien que la majorité des cas se rapporterait au samedi plutôt qu'au mercredi, alors que les gens ont statistiquement tendance à être davantage sur la route tard le soir. Il y aura toujours, bien sûr, quelques exceptions pour confirmer la règle, telle cette vague du mardi 16 août 1966.

Si l'apparition d'ovnis constituait un phénomène fortuit, n'aurait-on pas réussi depuis longtemps déjà à les filmer ou à les photographier ? Je ne vois qu'une seule explication plausible au fait qu'ils soient toujours parvenus à préserver le mystère de leur présence : pour maîtriser aussi complètement la situation, il faut que ces entités connaissent parfaitement d'avance tous les facteurs qui interviendront dans ces incidents.

S'il s'agit de phénomènes naturels inconnus, comme d'aucuns le soutiennent, comment alors expliquer que ces passages se confinent à l'intérieur de frontières géopolitiques déterminées ? Les statistiques à cet égard tendraient plutôt à corroborer les dires de certains contactés à l'effet que les aliénigènes ont convenu entre eux – et peut-être de concert avec les gouvernements terrestres – de se partager l'exploitation de notre planète selon notre propre découpage politique de la carte mondiale. Voilà qui expliquerait que leur mode d'exploration soit aussi méthodique. Leur itinéraire présente le plus souvent la forme d'un triangle isocèle, mais des milliers d'observations faites le long de trajectoires apparemment circulaires se suivent chronologiquement, ce qui donne à penser que les ovnis procèdent systématiquement de point en point.

Chaque État américain semble compter de deux à dix « fenêtres », des zones où les ovnis apparaissent régulièrement année après année et autour desquelles ils se déploient dans un rayon de deux à trois cents kilomètres. Des centaines de ces fenêtres sont disséminées à l'intérieur d'un immense cercle qui s'étend des Territoires du Nord-Ouest jusqu'au centre des États-Unis. Un autre cercle est focalisé dans le golfe du Mexique et englobe le Mexique, le Texas et les États du centre sud. Il est bon de noter que plusieurs fenêtres correspondent à des zones de déviation magnétique et que le plus haut promontoire y sert de point de ralliement des ovnis[1]. C'est habituellement là qu'ils se rendent visibles avant d'entreprendre leur ronde d'exploration, au bout de laquelle ils disparaissent à nouveau.

---

1. Ce commentaire n'est pas sans nous rappeler notre célèbre mont Saint-Hilaire, qui domine la vallée du Richelieu à quelques kilomètres au sud de Montréal.

Nous savons que les ondes visibles à l'œil nu n'occupent qu'une étroite bande dans le spectre électromagnétique. Il est tout à fait probable que les ovnis se manifestent à des fréquences supérieures à l'ultraviolet et inférieures à l'infrarouge. Cependant, lorsqu'ils se stabilisent dans le champ visible de notre dimension, ils semblent briller d'un éclat blanc, car ils intègrent alors les fréquences de toutes les couleurs prismatiques, dont la composition résulte en lumière blanche. Par contre, dès qu'ils veulent effectuer des changements de direction, par exemple, ils doivent opérer une modification de fréquence qui se répercute aussitôt en une variété de couleurs.

Ce n'est sûrement pas sans raison si, dans le rapport XIV du projet *Blue Book* (« Livre bleu »), le terme « électromagnétique » a été remplacé par l'épithète « inconnu » pour décrire la majorité des cas où il était fait allusion à ce phénomène. Cette précaution tend à confirmer l'hypothèse d'une réalité à plusieurs niveaux et, chose certaine, nous n'avons pas affaire à des visiteurs de hasard mais à des êtres qui agissent, au contraire, avec des intentions fort précises. Dans cet ordre d'idées, les mutilations d'animaux représentent bien l'une des constantes matérielles dont le cadre de référence a été le plus stable depuis la première fois, en avril 1897, alors que plusieurs témoins avaient assisté à l'enlèvement d'un veau appartenant à Alexander Hamilton.

Déviations géomagnétiques et cycles lunaires

Un certain Lew Tery s'est penché sur la relation entre le phénomène ovni et les anomalies géomagnétiques. L'idée n'est pas neuve, mais ses découvertes valent d'être mentionnées ici. Quoi qu'il en soit, je vous en laisse juges.

Monsieur Tery se procura, au Bureau des relevés géologiques des États-Unis, des cartes illustrant les déviations géomagnétiques et gravitationnelles. L'examen lui révéla aussitôt une relation évidente entre les ovnis et certaines régions. Après avoir donné une conférence sur le sujet en Arizona, il fut harcelé par des agents du F.B.I. parce que, selon eux, il s'aventurait dans un domaine « très délicat ». Monsieur Tery comprit l'allusion et évita dorénavant d'en parler publiquement en détail.

Les deux types de cartes indiquent les champs de force fondamentaux ainsi que le degré de chacun selon les régions. Il est intéressant de noter que les zones correspondant à des maximums et des minimums présentent les caractéristiques suivantes :

a) toutes sont fréquemment visitées par les ovnis ;

b) toutes sont situées soit sur des réserves indiennes, soit sur des terrains du gouvernement, soit sur des emplacements que celui-ci est en voie d'acquérir ;

c) la plupart, et surtout là où plusieurs sont regroupées, sont susceptibles d'être des bases ou sont historiquement considérées comme des zones de mutilations et d'enlèvements.

Non satisfait de ces premières conclusions, qui ne manquent déjà pas d'intérêt, monsieur Tery poussa plus avant ses observations. Une recherche assidue le conduisit à établir des paramètres spatio-temporels des apparitions d'ovnis, ainsi que des mutilations et des enlèvements signalés dans ces zones, au regard des cycles lunaires. C'est ainsi qu'il parvint à conclure que ces phénomènes surviennent plus fréquemment :

a) à la nouvelle lune ou dans les deux jours qui la précèdent ;

b) à la pleine lune ou dans les deux jours qui la précèdent ;

c) au périgée de la Lune – son point le plus près de la Terre – ou dans les deux jours qui le précèdent.

Aucune raison concrète ne semble avoir été trouvée pour expliquer la coïncidence de ces événements dans le temps, mais le fait n'en est pas moins véridique. Aussi sommes-nous en droit de prétendre sérieusement à la théorie des bases lunaires dont certains chercheurs nous ont certifié l'existence.

Un appareil antigravitationnel

Quand je songe, d'autre part, aux prodigieuses possibilités que représenterait l'étude des phénomènes électromagnétiques pour l'avancement de la connaissance humaine, je suis stupéfié de voir qu'on ne s'intéresse pas davantage à certaines découvertes dans les milieux scientifiques officiels. Car, enfin, comment ne pas être impressionné par l'éclatant résultat d'une expérience comme celle qui suit, alors qu'un simple amateur a réussi avec brio à mettre en application les principes apparemment complexes de théories aussi hermétiques que celle de la relativité d'Albert Einstein ou celle de la réalité des mondes suprasensibles de Rudolf Steiner, et est parvenu à en donner une preuve concrète en démontrant qu'il suffit de provoquer une tension infinitésimale dans les forces « éthériques » de l'espace pour que celles-ci produisent en retour, sur le plan physique, des effets littéralement incommensurables ?

Monsieur J.R. Searl, que j'ai le bonheur de compter parmi mes amis, habite en Angleterre. En 1949, pendant qu'il travaillait pour la Commission des Midlands comme simple assembleur d'appareils électroniques, il développa une véritable passion pour l'étude des phénomènes électriques. N'ayant pour toute formation officielle que les aptitudes requises pour exercer son métier, il aborda la question avec la liberté des autodidactes, dont la vision n'est pas limitée par les œillères qu'une éducation spécialisée finit trop souvent par imposer.

Il assura donc son propre apprentissage en étudiant le mécanisme des génératrices et des moteurs électriques, et constata bientôt que le mouvement rotatif des pièces de métal engendrait une faible force électromotrice dont la polarité négative tendait à s'éloigner de l'axe de rotation tandis que la polarité positive cherchait à s'en approcher.

En 1950, il poursuivit ses recherches en se servant d'une dynamo rotative composée de bagues collectrices et, à l'aide d'un conventionnel appareil de mesure électrique, il enregistra la force électromotrice de faible intensité qu'elle générait. Ayant remarqué que ses cheveux avaient tendance à se hérisser lorsqu'il se tenait à proximité de la dynamo en mouvement, il en déduisit que des électrons libres, de charge négative, produisait un champ de force centrifuge alors que l'électricité statique du métal engendrait un champ de force centripète. Il décida alors de construire une génératrice fonctionnant sur ce principe.

Il acheva, dès 1952, la fabrication de sa première magnéto, d'un diamètre de un mètre. Le rotor était constitué d'un disque segmenté qui, en tournant, transmettait l'énergie à un stator périphérique formé d'électro-aimants, lesquels contribuaient à produire la force électromotrice. Avec l'aide d'un ami, monsieur Searl transporta son appareil dans un champ et le mit en marche au moyen d'un petit moteur. Comme prévu, sa génératrice produisit de l'électricité, mais à un taux qui dépassa largement ses attentes. À une vitesse relativement basse, l'énergie potentielle était de l'ordre de 100 000 volts, valeur estimée d'après l'électrisation des objets environnants.

C'est alors qu'il se produisit un phénomène tout à fait inattendu. Le rotor se mit à accélérer, puis l'appareil commença à s'élever de terre, rompit le cordon d'alimentation qui le rattachait au moteur et continua de grimper jusqu'à une altitude de quinze à vingt mètres, à laquelle il se stabilisa quelque temps. L'effluve rosé de l'effet couronne indiquait que l'air ambiant se trouvait ionisé à une pression atmosphérique réduite à moins de 0,1 Pa[1]. Mais l'effet secondaire le plus étonnant concernait les récepteurs radiophoniques de la localité, qui se mirent tous en marche automatiquement. Finalement, le rotor de la génératrice s'emballa à une vitesse fantastique et l'appareil « tomba » dans l'espace comme si la gravitation terrestre était inversée.

Depuis lors, monsieur Searl en a fabriqué une dizaine d'autres, mais il en a perdu plusieurs de la même manière avant d'arriver à en contrôler quelques-uns. Certains mesuraient près de quatre mètres de diamètre, et il en a construit deux d'environ dix mètres.

Aussitôt que la génératrice franchit un certain seuil d'énergie potentielle, estimé ici à quelque dix billions de volts (10^{12} V), la puissance fournie se met à dépasser celle qui est absorbée et continue de monter vers un niveau virtuellement illimité. Les mesures que nous en avons prises la situaient aux alentours de dix à dix mille billions de watts (J^{12} à 10^{15} W). À ce niveau de puissance, la génératrice et toutes ses composantes paraissent s'affranchir de la force d'inertie ; mais, en se libérant de l'attraction

---

1. La pression atmosphérique normale est de 101 325 Pa ou 101,325 kPa.

terrestre, elles semblent aussi attirer à elles des morceaux de matière puisqu'elles ont tendance, en s'élevant, à arracher des mottes de gazon.

En dernière analyse, il y a tout lieu de croire que la génératrice provoque une tension dans l'espace qui l'entoure. L'effort fourni par l'espace pour abaisser cette tension se manifeste sous la forme d'un champ magnétique dont l'énergie est absorbée à nouveau par la génératrice qui, ainsi alimentée, fournit encore plus de tension à l'espace environnant, lequel réagit par un accroissement du champ magnétique qui, à son tour, relance la génératrice dans une interaction sans fin, créant par le fait même une sorte de mouvement perpétuel. Ce processus démontre à l'évidence que, de la quantité déjà très minime de tissu spatial qui traverse l'appareil, seule une infime proportion est convertie en énergie.

Plus récemment, en 1987, mon ami monsieur Searl a eu maille à partir avec la Commission des services publics parce qu'il avait réussi à mettre au point sa propre génératrice autonome. Les autorités craignaient évidemment que la nouvelle de son invention ne fasse boule de neige et finisse par constituer une menace à leur monopole, quand bien même il ne possédait qu'une modeste maison. Pour éviter leurs tracasseries, il déménagea, tout simplement, et s'installa à Birmingham où il vit depuis... sous un nom d'emprunt.

L'INVASION

La narration de ces événements n'a été jusqu'ici qu'une entrée en matière. Nous pouvons maintenant passer à la révélation des véritables mobiles dans l'affaire des mutilations, c'est-à-dire l'acquisition, par des « entités biologiques extra-terrestres » (E.B.E.), de tissus vivants destinés à leur usage personnel. Pour faire la lumière sur ces interventions, il nous faut d'abord établir une séquence logique au regard de ce que nous savons aujourd'hui et mettre au jour une réalité qui n'a pourtant cessé de se manifester juste sous nos yeux, à savoir que des êtres humains et extranéens entretiennent d'étroites relations réciproques.

Point de vue d'un Grand Blond sur l'invasion des Petits Gris

En octobre 1987, l'ufologue George Andrews réussit, par l'entremise d'une Californienne dotée de pouvoirs psychiques, à entrer en communication avec un Grand Blond qui avait réussi à échapper à l'emprise des Petits Gris et, ce faisant, à préserver son pouvoir de voyager dans l'espace-temps. Voici quelques-uns de ses commentaires :

« Si vous vous apprêtiez à envahir une civilisation étrangère, vous ne le feriez sans doute pas en déployant une armada d'aéronefs qui sillonneraient le ciel au risque d'être abattus – ce sont les êtres moins évolués qui ont recours à ce genre de tactique. Au contraire, vous ne feriez que suggérer votre présence et, en semant ainsi le doute, vous produiriez une telle confusion parmi les assiégés que chacun finirait par ne plus croire en personne ni en rien.

« Les Petits Gris sont d'insidieux faux frères. Ils ont déjà fait (envers nous) exactement la même chose qu'ils font ici (envers vous). Vous n'êtes pas sur le point d'être envahis ni même en train de l'être ; l'invasion a déjà eu lieu, et elle en est au stade final.

« Comment procéderiez-vous ? [Il décrit ici le plan de nettoyage des Petits Gris depuis les débuts,] Vous iriez d'abord dans les organismes secrets. Aux États-Unis, par exemple, vous infiltreriez la C.I.A. et, en U.R.S.S., le K.G.B. Vous feriez en sorte de diriger des agences en partie ou en totalité.

« Vous créeriez une dissension au sein de la population en général, les uns s'accrochant à leur certitude d'avoir vu des ovnis, les autres s'enfonçant obstinément dans leur incrédulité.

« Vous provoqueriez une ridicule et continuelle mésentente idéologique entre deux superpuissances comme l'Union soviétique et les États-Unis et, pendant que ces deux pays se disputeraient constamment le partage des territoires en envahissant qui l'Iran, qui l'Afghanistan, et quoi encore... et pendant qu'ils se perdraient en palabres à savoir qui devrait désamorcer telle ogive nucléaire et qui telle autre... eh bien ! pendant tout ce temps – mais encore faut-il que vous soyez dotés de cette faculté ! – vous éclateriez de rire.

« Vous vous présenteriez à quelques membres de groupes adverses (C.I.A. ou MJ-12, par exemple, et K.G.B.) qui dissimuleraient volontiers votre présence en se croyant les seuls sur terre à qui vous ayez offert le privilège d'être dans le secret. Et, comme ces gens vous convoiteraient, vous pourriez vous appuyer sur leur propre convoitise pour les piéger dans les deux camps, tout en comptant sur la bêtise des masses pour les voir se déchirer mutuellement.

« Pour ce faire, vous apparaîtriez à quelques citoyens de façon à inciter des factions gouvernementales à les faire taire. Pendant que vous garderiez ainsi les dirigeants occupés à les rappeler à l'ordre, les masses populaires en viendraient à se désaffilier d'un gouvernement qui ne cherche qu'à « leur dissimuler toute information sur les ovnis ». Vous commenceriez à entendre des clameurs telles que : « Pourquoi refusent-ils de nous croire ?... Ne comprennent-ils pas que ces phénomènes se produisent réellement ?... Nous ne sommes pourtant pas fous ! ... »

« Vous verriez les gouvernants et les citoyens se quereller sans cesse sur l'existence des ovnis. Vous sèmeriez des germes d'insatisfaction généralisée en excitant partout les haines, d'une part entre deux superpuissances et, d'autre part, entre les gagne-petit et les nantis – dont la fortune s'accommoderait fort bien de l'état de crise.

« Vous – sous-entendu les Petits Gris – pourriez offrir le spectacle d'un ou deux atterrissages de votre flotte avant la fin du siècle, au moment où vous seriez assurés de posséder déjà le plein contrôle de la situation. Vous commenceriez à effectuer des croisements génétiques dont le rythme augmenterait progressivement au fil des générations.

« Vous appâteriez le gouvernement avec un gros hameçon – tel le programme de la Guerre des Étoiles – et taquineriez les chercheurs soviétiques avec un dispositif au laser mille fois plus raffiné que tous ceux qu'ils auraient pu inventer. Et ce, toujours avec la même subtilité, à la lisière de la conscience, de sorte que les ovnis ne paraissent pas tout à fait invraisemblables mais défiant tout de même le bon sens. Vous vous arrangeriez pour qu'on en parle timidement et qu'à la rigueur le phénomène semble suffisamment insensé pour que personne ne veuille y croire. À la limite, vous – les envahisseurs – déchaîneriez un tel fanatisme que la vie même des contactés serait mise à prix par la C.I.A. de peur que ne soient divulguées les transactions que celle-ci effectue déjà avec les mêmes forces occultes dont les sujets sont précisément victimes.

« D'ici cent ou deux cents ans peut-être, par suite des mélanges raciaux que les Petits Gris auront réalisés, vous verrez déambuler parmi vous des créatures hybrides formées à partir de votre propre race mêlée à la leur. Pour l'instant, tout ce qui bouge autour de vous est revêtu de votre apparence pour éviter de causer une panique générale. C'est tellement plus simple !

« Tout individu qui vit des expériences avec les Petits Gris sera en brouille avec le gouvernement et, qui plus est, la planète subira des bouleversements complets. Les tremblements de terre et les soulèvements de la croûte terrestre se succéderont sans relâche.

« Les Petits Gris se sont infiltrés jusqu'au cœur même de la C.I.A., laquelle perçoit son interaction avec eux comme un moyen de conforter son avance technologique. En outre, ils ont noyauté non seulement les agences de renseignements, mais aussi les groupes que ces agences traitent de « bandes de cinglés ».

« Une des raisons pour lesquelles vous êtes actuellement témoins d'une telle quantité et d'une telle variété d'ovnis est l'arrivée massive de nombreux observateurs scientifiques provenant d'autres cultures, aux yeux desquelles la vôtre est d'un extrême intérêt.

« Le mal suprême consiste en cette forme masquée de suffisance psychologique qui conduit un être à adhérer à un groupement idéologique plutôt qu'à élargir ses horizons par lui-même. Une fois que vous avez acquis la croyance d'appartenir à un « groupe socialement choisi », vous êtes en voie de perdition. Ces associations, qui renferment le germe de la destruction de toute société, minent votre culture et la rendent vulnérable. Aussi entraîneront-elles du même coup la chute future des Petits Gris, qui ne voient pas leur erreur, car cette faiblesse chez vous dont ils tirent avantage constitue leur propre faiblesse par inhérence. Il est futile d'essayer de changer un être qui prétend venir des étoiles et qui s'érige en objet de culte, peu importe qu'il s'agisse d'un Petit Gris ou d'un membre de la C.I.A. Le changement devra se faire, mais seulement quand le moment sera venu, car c'est à l'Esprit d'aider quiconque à se tenir debout pour dénoncer le mensonge et la fausseté, ce même Esprit de Vérité qui constituera une épine dans le pied des Petits Gris et de leurs complices. »

Début de la saga

Cette épopée a vraisemblablement commencé il y a des milliers d'années mais, pour les besoins de notre exposé, nous nous en tiendrons ici à des événements plus récents. En 1947, deux ans après la première explosion nucléaire réalisée au cours de notre civilisation, survint l'incident de Mantell, le premier conflit armé entre forces terrestres et extranéennes à avoir jamais été consigné. L'escarmouche se solda par la perte d'un de nos pilotes. Il est aujourd'hui évident que notre gouvernement d'alors ne savait absolument pas comment faire face à la situation. En 1952, la capitale nationale fut survolée par des objets en forme de disques. C'est alors que les forces de sécurité des États-Unis – C.I.A., N.S.A., D.I.A., F.B.I. – décidèrent d'intervenir en essayant de contrôler la situation jusqu'à ce qu'ils en connaissent les tenants et les aboutissants.

C'est à cette époque que le gouvernement institua un premier groupe de coordination qui allait donner naissance à *MJ-12 (Majority 12 ou Majestic 12)*, lequel existe encore de nos jours. Les membres en sont remplacés « quand ils meurent », à l'exemple du secrétaire d'État James Forrestal qui, pour s'être indigné de voir de quelle manière on avait « vendu » les États-Unis durant la Seconde Guerre mondiale, « fut suicidé » en « se jetant par la fenêtre de sa chambre d'hôpital » avant même que des membres de sa parenté aient pu communiquer avec lui. La plupart de ses proches sont convaincus que son prétendu suicide est une machination. Il fut remplacé par le général Walter B. Smith.

En décembre 1947, le projet *Sign* (« Signe ») fut mis en place dans le but de recueillir le plus d'informations possible sur les ovnis quant à leurs caractéristiques techniques et leur mission. Par mesure de sécurité, la liaison entre le projet Sign et le groupe de coordination fut limitée à deux agents du service des renseignements au Commandement du matériel aérien. Leur rôle consistait à transmettre certains types d'informations par l'intermédiaire de filières organisées.

Le projet Sign se métamorphosa pour devenir le projet Grudge (« Rancune ») en décembre 1948. Celui-ci donna naissance à sa contrepartie civile qui porte le nom de projet *Blue Book* (« Livre bleu »), lequel nous est forcément plus familier puisqu'il n'est pas caché à la population. D'ailleurs, seuls les rapports « sans danger » sont transmis au *Blue Book*. En 1949, on commença à élaborer un plan d'urgence qui prévoyait, le cas échéant, la divulgation de certains secrets au grand public.

Le général George C. Marshall fut chargé d'enquêter sur l'écrasement d'ovnis à Roswell et à Magdalena en juillet 1947 en vue d'en récupérer les débris. Directeur de la C.I.A. de mai 1947 à septembre 1950, l'amiral Roscoe H. Hillenkoetter anima le « Jury de Robertson », dont la consigne était de diriger les groupes civils de recherche en ufologie qui commençaient à éclore un peu partout au pays. Il entra à la N.I.C.A.P. en 1956 et fut élu membre du conseil. De la position qu'il occupait, il lui était loisible de tenir lieu de « taupe » pour le compte de MJ-12. De concert avec son équipe d'experts dissimulés, il put orienter la N.I.C.A.P. dans la direction qu'il voulait. En réservant à MJ-12 le contrôle complet sur le « Programme des soucoupes volantes » et en jetant le voile sur les évidences physiques, le général Marshall pouvait confortablement savourer les avantages d'une situation aussi bizarre. C'est ainsi qu'eux-mêmes et leurs successeurs ont pu berner la majeure partie de l'Occident pendant une quarantaine d'années. Il leur a suffi de former des prétendus spécialistes et de les appuyer de leur influence pour assurer le succès de leur plan jusqu'à maintenant.

Le 3 avril 1947, au lendemain de l'écrasement d'un ovni à Roswell, on découvrit les débris d'un autre appareil du même type dans les plaines de Saint Augustine près de Magdalena, au Nouveau-Mexique. Les six mois suivants donnèrent lieu à une importante réorganisation des agences et à une considérable réaffectation de leur personnel, le tout dans le but d'assurer la discrétion la plus absolue. La première et véritable raison de telles mesures de sécurité était l'examen minutieux de ces astronefs en forme de disques biconvexes en vue de s'en approprier la technologie.

Les recherches étaient chapeautées par les organismes suivants :

— le Conseil de recherche et de développement (R.D.B.) ;

— Recherche et Développement de la Défense aérienne (A.F.R.D.) ;

— le Bureau de recherche de la Marine (C.N.R.) ;

— le Bureau des renseignements scientifiques de la C.I.A. (C.I.A.-O.S.I.) ;

— le Bureau des renseignements scientifiques de la N.S.A. (N.S.A.-O.S.I.).

Pris isolément, aucun de ces organismes n'était censé être au courant de l'ensemble du programme. Chacun ne devait en connaître que des aspects, ceux que MJ-12 voulait bien lui laisser savoir. MJ-12 a aussi toujours exercé son action au sein des diverses associations civiles de recherche et de renseignements. La C.I.A. et le F.B.I. sont tous deux manipulés par MJ-12 pour servir les fins de ce dernier.

L'Agence de sécurité nationale (N.S.A.)

La N.S.A. fut mise sur pied dans le but premier de protéger le secret entourant la récupération des ovnis ; elle acquit éventuellement le contrôle complet de tous les services de communications et de renseignements. Ce contrôle permet aujourd'hui à la N.S.A. d'épier à loisir les communications privées de tous les citoyens au moyen de la poste, du téléphone, du télex, du télégramme et, depuis peu, de la téléinformatique. En fait, la N.S.A. est actuellement le principal organe de MJ-12 en ce qui a trait au « Programme des soucoupes volantes », et la « désinformation » bat son plein dans le domaine de la recherche ufologique.

Tous les candidats assignés à l'un ou l'autre aspect du programme sont assermentés. Du moment qu'ils ont signé leur promesse de respecter les critères de sécurité, ils sont soumis à une surveillance de tous les instants. Si l'un d'eux, tant militaire que civil, déroge à son serment, il s'expose aux conséquences suivantes :

1) Recevoir un avertissement verbal accompagné d'un rappel des clauses de son contrat.

2) Essuyer une réprimande plus sévère, parfois renforcée de mesures disciplinaires destinées à l'intimider.

3) Subir des manœuvres psychologiques dans le but de provoquer une dépression et, à la rigueur, son suicide. Le plus souvent, il sera victime d'un assassinat déguisé en suicide ou en accident.

4) Être « enfermé à l'asile » pour y être « traité » par des techniques de « déprogrammation » mentale. Il en sera relâché avec une nouvelle identité et une personnalité altérée, et ses souvenirs seront confus.

5) Être incarcéré dans des « centres de détention » ad hoc.

6) Mourir dans des circonstances étranges et imprévisibles.

7) Être emmené « à l'intérieur » pour y travailler à « leur » service sous étroite surveillance. Il s'agit le plus souvent d'installations souterraines fermées au monde extérieur.

Le même traitement attend tout individu qu'ils jugent « trop près de la vérité ». Les membres de MJ-12, en effet, sont prêts à tout pour préserver le secret de leur complot. Mais, comme nous le verrons plus loin, la nature même de leur pacte se trouvera radicalement remise en question lorsque surviendra un événement que même les conjurés n'avaient pas prévu : la divulgation de leur conspiration à un chercheur civil par les aliénigènes eux-mêmes.

L'Agence centrale de renseignements (C.I.A.)

La C.I.A. joue aussi un rôle prédominant dans cette affaire, et son action est d'autant facilitée que cette agence bénéficie de la pleine couverture de l'État pour mener ses activités clandestines. À cet égard, il est effarant de voir que l'Acte de protection sur l'identité des services de renseignements, promulgué en 1981, accorde à tout citoyen la liberté d'exprimer ouvertement ses opinions sur n'importe quel sujet, SAUF sur la C.I.A.

Il ne faut pas oublier que l'origine de celle-ci remonte à l'époque qui suivit immédiatement la Seconde Guerre mondiale. Son premier directeur, Allan Dulles, de connivence avec Reinhard Gehlen, en a établi les fondements en 1947 à partir de la structure même de la Gestapo[1] nazie, qu'il a transplantée telle quelle aux États-Unis à l'insu des citoyens américains. Peut-être comprendrez-vous mieux, maintenant, la raison de certains gestes symboliques posés par nos chefs d'État. Vous souvenez-vous, par exemple, de Ronald Reagan quand, à l'occasion du quarantième anniversaire de la Seconde Guerre mondiale, il a déposé une couronne funéraire au pied du cénotaphe érigé à la mémoire des combattants allemands enrôlés dans les sections d'assaut ?

Dans un autre ordre d'idées, il est de plus en plus évident que John F. Kennedy est tombé sous les feux croisés des sbires de la C.I.A. et des tueurs à gages de la mafia. Il y a tout lieu de croire, d'ailleurs, que ces derniers ont préféré être payés en héroïne plutôt qu'en argent. Or, l'un des objectifs majeurs des opérations clandestines de la C.I.A. consiste justement à approvisionner les

---

1. Gestapo est l'acronyme de *GEheime STAats POlizei* : Police d'État secrète.

stocks de stupéfiants de la mafia, et la prétendue lutte aux trafiquants de drogue se résume en fait à neutraliser les barons indépendants – tel Manuel Norriega – dont les activités représentent une menace au monopole de la mafia et de la C.I.A.

Le meurtre déguisé en suicide est sans doute la procédure expéditive la plus exploitée par la C.I.A. Faisant référence à la panne générale qui avait paralysé la ville de New York le 13 juillet 1965, le professeur James E. McDonald reprocha à la Commission fédérale de l'électricité d'éluder le rôle évident que les ovnis y avaient tenu, et il osa l'en accuser devant un comité du Congrès. Le 13 juin 1971, il fut retrouvé mort d'une balle dans la tête, avec le pistolet à ses côtés.

Dans le cas de Karen Silkwoods, c'est en accident d'automobile que son meurtre fut camouflé. Morris K. Jessup mourut aussi dans des circonstances mystérieuses après avoir fait parvenir un exemplaire de son livre intitulé *Case for the UFO* (« Arguments à l'appui du phénomène ovni ») au directeur du Bureau de recherche navale (O.N.R.) à Washington.

Un incident à la station KNBC

En octobre 1987, il se produisit un incident quelque peu inusité à la station de télévision KNBC de Los Angeles. Un certain Gary Stollman surgit dans un studio en braquant une carabine à air comprimé sur David Horwitz. De toute évidence, il se croyait seul à détenir certains renseignements et avait désespérément résolu de les faire connaître au public. Examinons brièvement l'essentiel de ses allégations et de ses revendications.

— Son père biologique est en réalité un clone créé par les aliénigènes avec le concours de la C.I.A.

— La C.I.A. maintient des cliniques de réhabilitation mentale.

— Les lignes téléphoniques furent coupées durant les deux jours qui ont suivi son admission à l'hôpital psychiatrique Rohlman à Cincinnati.

94

— Un ancien agent de la C.I.A., lors d'une interview qu'il accorda à la station radiophonique KPFK devant un auditoire d'étudiants de niveau collégial, déclara que la C.I.A. avait fait haler dans le port de New York des chalands infestés de microbes.

— La C.I.A. pourrait bien avoir créé le virus du sida en vue de décimer la population gay.

— La C.I.A. se méfie des adeptes de l'informatique.

— La C.I.A. a ourdi l'assassinat de John F. Kennedy et, dans les deux années qui suivirent, a fait disparaître quelque vingt-deux témoins oculaires.

— L'Armée de l'air devrait rendre publique toute information relative aux ovnis en général et au hangar 18, à Wright Patterson, en particulier.

— Une étudiante de Floride soutient que sept de ses amis ont été « remplacés ».

— Des garçons de l'école Optimiste de Pasadena, en Californie, ont été recrutés par des individus qui leur ont fourni de fausses cartes d'identité et de faux certificats de naissance.

— Le Cabinet présidentiel dirige un groupe secret.

— Il existe des êtres dotés du pouvoir de se déplacer instantanément, de téléporter les personnes et les objets, de lire dans les pensées et de les diriger, de transmuter la matière en d'autres formes d'énergie et, partant, de la manipuler à volonté.

Il termina en réclamant du Congrès qu'il institue une enquête fédérale et ajouta qu'il n'avait certes pas l'intention de blesser qui que ce soit puisque sa carabine n'était même pas chargée.

Un ufologue connu sous le nom de code de MUFON communiqua avec l'avocat de ce monsieur Stollman en décembre 1987 pour lui confirmer que son client avait dit vrai dans une large mesure. L'avocat s'est aussitôt éclipsé.

Les contactés

Les statistiques révèlent que, parmi les victimes d'enlèvements, deux sur trois se trouvent seules au moment du rapt, et une sur trois arrive à reconstituer les événements sans avoir besoin d'être placée en état d'hypnose.

Par contre, plusieurs individus ont disparu à tout jamais après avoir établi un contact avec certains types d'aliénigènes, ou ont été retrouvés sans vie. Apparemment pour des raisons de protection civile, le 5 octobre 1982, le professeur Brian T. Clifford, du Pentagone, annonçait qu'il est illégal pour tout citoyen américain d'avoir des contacts avec des aliénigènes ou même de s'approcher de leurs véhicules.

À la clause 14 de l'article 1211 du Code de réglementation fédérale adopté le 16 juillet 1969, quatre jours avant le premier atterrissage lunaire de la mission Apollo 11, il est stipulé que tout citoyen contacté est automatiquement coupable et que son geste constitue un acte criminel passible d'un an de prison et de 5 000 $ d'amende. L'administration de la N.A.S.A. a plein pouvoir de déterminer, avec ou sans audience, si une personne a été « exposée » au phénomène et peut lui ordonner une quarantaine indéfinie, sous surveillance armée, qu'aucune cour de cassation ne peut abroger.

En outre, l'article de loi JANAP-146 prévoit une peine d'emprisonnement de dix ans et une amende de 10 000 $ dans le cas où un employé gouvernemental ferait, sans autorisation, des déclarations publiques sur le phénomène ovni. L'Acte britannique sur les secrets officiels prescrit une sanction équivalente.

En général, les personnes qui ont déjà été contactées le sont encore une ou plusieurs fois par la suite, et il n'est pas rare que leur état de santé soit affecté après de tels contacts avec certaines entités extranéennes.

En 1979, une dame âgée vivant en Arkansas s'était infligé des coupures en tombant. Elle a raconté qu'elle avait été aussitôt guérie par deux aliénigènes qui lui avaient remis un objet en métal serti de pyramides et d'étoiles à six pointes. Ces êtres lui avaient confié qu'ils « consommaient une potion » que nous, les êtres humains, ne buvons pas.

Un mois et demi plus tard, alors qu'elle était sortie chercher son chien, elle aperçut dans un champ voisin un cheval allongé sur le côté. Deux hommes portant une blouse blanche de chirurgien semblaient prodiguer des soins à la bête immobile. Deux hélicoptères de l'Armée de l'air étaient stationnés un peu plus loin. Ils étaient gardés par deux militaires en uniforme et par les deux mêmes aliénigènes qui lui avaient prêté secours.

Elle continua à marcher en direction du groupe mais, dès que celui-ci se rendit compte de sa présence, elle fut frappée par un éclair bleu jaillissant de l'un des hélicoptères. Après le départ des intrus, elle dut être transportée à l'hôpital pour cause de lésions par brûlure.

Pendant toute la durée de son séjour, une foule de visiteurs impromptus ne cessèrent de la harceler. Même après son retour à la maison, elle fut importunée sans arrêt par des inconnus qui lui posaient toujours les mêmes questions. Elle eut beau déménager dans un autre État, le manège se poursuivit malgré tout. Depuis 1980, MUFON fait enquête sur ce cas mais n'a toujours pas publié ses conclusions.

L'OCCUPATION

Les méthodes conduisant au premier contact entre le gouvernement d'alors et les aliénigènes nous sont inconnues. Par contre, nous savons que nos dirigeants actuels ont été mis au courant, par le professeur Paul Bennewitz, de la possibilité d'y parvenir à l'aide d'un équipement adéquat, car l'homme de sciences les a informés qu'il y était lui-même arrivé en se servant d'un ordinateur. Mais ce civil ignorait alors – en 1983 – que le gouvernement était depuis longtemps déjà en relation étroite avec les aliénigènes, et ce sont justement ses propres communications avec eux qui le lui ont révélé.

Le professeur Bennewitz habitait à Albuquerque, au Nouveau-Mexique, près de la zone de Manzano où sont entreposées des armes. Il eut l'idée de mettre au point un système codé pour communiquer avec les pilotes des ovnis parce qu'il estimait que leurs constantes allées et venues à proximité des entrepôts constituaient une menace à la sécurité du secteur, et sa tentative réussit. Il apprit bientôt que, lors de premiers contacts plusieurs années auparavant, nous avions convenu de leur aménager des bases souterraines aux États-Unis en échange de certains secrets technologiques qu'ils nous révéleraient, et qu'il leur serait permis de procéder sans tracas à diverses opérations, tels des enlèvements et des mutilations.

Il apprit vaguement que ces premiers contacts entre le gouvernement et les « entités biologiques extra-terrestres » (E.B.E.) avaient eu lieu entre 1947 et 1971. Certains gouvernants savaient donc déjà que les Petits Gris jouaient un rôle dans les mutilations d'animaux – et parfois dans celles d'êtres humains – et qu'ils faisaient usage des Substances sécrétées par les organes qu'ils avaient prélevés, soit pour se nourrir – en les absorbant à travers la peau –, soit pour reproduire, par clonage, d'autres entités semblables à eux-mêmes dans leurs laboratoires souterrains. On savait donc aussi que les Petits Gris se procuraient du matériel génétique en commettant des rapts. Le Conseil de sécurité nationale (N.S.C.) aurait toutefois exigé d'eux qu'ils lui fournissent l'inventaire aux fins de vérification. Dans tout ceci, le gouvernement aurait jugé que, malgré une allure un peu déplaisante, ces créatures étaient néanmoins supportables et que le public finirait par s'habituer à leur présence.

Vers la fin des années soixante, on aurait formulé le projet de libérer graduellement de l'information sur le sujet pendant une vingtaine d'années au cours desquelles une série documentaire nous aurait livré l'historique et les intentions des Petits Gris. Mais, lorsque ceux-ci nous certifièrent que les enlèvements avaient pour but réel la surveillance de notre civilisation, et quand ces rapts s'avérèrent beaucoup plus fréquents et insidieux qu'on avait voulu nous le laisser croire, alors le gouvernement commença à s'alarmer. Son inquiétude reposait en outre sur un supplément d'information à l'égard des sujets enlevés, à savoir que :

— un moniteur cérébral était inséré dans leur boîte crânienne par les cavités nasales ;

— des suggestions subliminales leur avaient été induites par hypnose de façon qu'ils soient « programmés » à poser un geste déterminé à un moment donné entre deux et cinq ans plus tard ;

— des implants en forme de disques ou d'aiguilles leur étaient greffés dans les tissus musculaires (ce qui fut confirmé par l'analyse radiographique) ;

— des croisements génétiques étaient opérés entre les Petits Gris et des êtres humains.

Les Petits Gris n'avaient d'autre intention que de rester sur notre monde et d'en prendre le contrôle ; mais, avant que nous ayons pu découvrir leurs desseins, il était trop tard. Nous avions déjà « vendu » l'humanité. (Peu importe, en réalité, puisqu'ils étaient ici pour faire ce qu'ils ont fait et qu'ils l'auraient fait de toute manière.)

En 1983, un historique de notre évolution biologique nous fut relaté, dans les grandes lignes, dans un communiqué de source gouvernementale. Il semblerait que les Petits Gris aient manipulé la chaîne d'A.D.N. des primates qui peuplaient déjà notre planète il y a fort longtemps et qu'ils aient modifié notre code génétique à des intervalles de plus en plus rapprochés ayant eu lieu, selon ce rapport, il y a 25 000, 15 000, 5 000 et 2 500 ans. À l'origine, le gouvernement croyait que les Petits Gris ne nous voulaient aucun mal, mais le tableau a commencé en 1987-1988 à révéler une image entièrement différente, celle d'une gigantesque conspiration destinée à nous duper sur plusieurs fronts à la fois.

La conspiration

D'une part, nous avons été bernés par les supercheries de MJ-12 depuis que celui-ci a combiné ses forces aux leurs, il y a quatre décennies, en se faisant leur cheval de Troie. D'autre part, nous avons été trompés au sujet des ovnis par la propagande mensongère d'un gouvernement qui cherchait à tenir le grand public à l'écart de ses tractations avec les Petits Gris. De plus, ceux-ci ont menti aux personnes mêmes qu'ils kidnappaient alors que, de manière continue, ils s'adonnaient à des enlèvements d'individus et à des mutilations d'animaux aux seules fins d'en récolter des enzymes, du sang et d'autres tissus pour leurs besoins personnels de survie, sans parler des croisements génétiques qu'ils avaient opérés entre leur race et celle des Grands Blonds pour faciliter leur future fusion avec l'espèce humaine... par le biais de la race aryenne ! (Voilà le véritable motif caché derrière la thèse nazie de la soi-disant supériorité des blonds aux yeux bleus.)

Selon une source d'information émergeant d'une base militaire située dans le Sud-Ouest américain, cette conspiration du mensonge existe réellement. En fait, le programme de la Guerre des Étoiles prévoit l'éventualité d'une offensive qui serait menée, à l'instigation des Petits Gris contre les Grands Blonds, au moment où ils effectueront un débarquement massif.

Cette même source décrit la suprématie des Petits Gris et leur empire sur le monde en termes très semblables à ceux de la série télévisée « V ». Ces êtres ne s'intéressent qu'à leur survie ; aussi dérobent-ils sans vergogne aux autres formes de vie de notre planète les substances biologiques dont ils ont besoin pour assurer leur propre survivance.

Leurs agissements sont apparemment imputables au fait que, n'ayant pas de tube digestif, ils doivent absorber les aliments et rejeter les déchets directement à travers la peau. Ils assimilent les éléments nutritifs essentiels en mélangeant d'abord avec du peroxyde d'hydrogène les substances qu'ils se sont procurées, puis en « badigeonnant » de cette mixture certaines parties de leur corps. Leur inquiétude s'explique donc si l'on songe au parti que leurs ennemis pourraient tirer de cette lacune.

Les autopsies pratiquées sur plusieurs E.B.E. ont démontré que les « entités biologiques extra-terrestres » ne comportaient ni tube digestif ni glandes. Le 2 février 1984, un article transmis par l'agence U.P.I. annonçait la découverte du professeur James Womack de l'Université A & M du Texas. Ce généticien avait réussi à isoler le chromosome surnuméraire de la vingt et unième paire, correspondant à la trisomie 21 responsable du syndrome de Down, ou mongolisme, caractérisé par l'arriération mentale. Ce faisant, il avait constaté la « parfaite similitude » de ce chromosome à la fois chez l'homme et chez le bœuf. Cette ressemblance lui fit dire que « nous partagions avec les bovins beaucoup plus de caractéristiques que nous ne l'avions d'abord cru ».

C'est ainsi que, depuis quelques années, le domaine paramédical des suppléments alimentaires en est venu à s'intéresser de plus en plus à l'hormonothérapie. Certaines glandes de bovins nous fournissent des sécrétions hormonales, ou protomorphogènes, qui sont aussi efficaces dans le traitement du cancer que les hormones sécrétées par les glandes des fœtus humains. Ces hormones s'apparentent tellement à celles de l'homme que leur absorption finit par créer un phénomène de dépendance chez les sujets qui en consomment régulièrement, en ce sens que leur propre organisme, à la longue, cesse d'en sécréter.

Cette découverte du professeur Womack semble éclairer d'un jour nouveau le phénomène des mutilations. D'après Gabe Valdez, celles-ci ne peuvent être perpétrées que par des individus « hautement organisés qui bénéficient de ressources quasi illimitées ». Par exemple, une vache Heifer, âgée de sept ans, était sur le point de mettre bas quand elle fut trouvée morte, mais son veau avait été subtilisé sans même que l'enveloppe placentaire n'ait été endommagée. L'analyse des échantillons de tissus prélevés sur certaines carcasses d'animaux mutilés a en outre révélé la présence de chlorpromazine, un neuroleptique.

Les bases souterraines

Au cours de leur occupation, les Petits Gris ont établi un nombre impressionnant de bases souterraines dans le monde entier et spécialement aux États-Unis. Une des quelques installations situées au Nouveau-Mexique se trouve sous la mésa d'Archuleta, à 4 km environ au nord-ouest de Dulce. Des détails sur cette base nous sont provenus de deux sources. La première est constituée par le témoignage d'une femme et de son fils qui assistèrent à l'enlèvement d'un veau qui avait été capturé sous leurs yeux dans le but d'en extraire des substances biologiques.

« Ce cas eut lieu en mai 1980 dans le nord du Nouveau-Mexique. La mère et le fils roulaient sur une route de campagne non loin de Cimarron quand leur regard fut attiré par deux aéronefs dont les membres d'équipage étaient en train de procéder à l'enlèvement d'un veau. S'étant arrêtés ils furent eux-mêmes emmenés, chacun séparément dans l'un et l'autre aéronef, vers une installation souterraine où la mère assista à la mutilation du veau. Il lui fut aussi donné de voir des cuves remplies d'un liquide dans lequel baignaient des parties de bovins, et même un bassin où flottait le corps d'un homme. Après examen, il fut démontré que cette femme et son fils avaient subi l'implantation d'un petit objet métallique. Plus d'une source nous a informés que la présence de ces implants avait été confirmée par des radiographies. »

Cette citation est extraite de la transcription d'une conversation entre monsieur Jim, McCampbell et le professeur Paul Bennewitz datant du 13 juillet 1984. Celui-ci rapporte qu'il a soumis la mère et l'enfant à une régression hypnotique – laquelle n'est requise que dans 30 % des cas d'enlèvement environ – et qu'il a poursuivi sa propre enquête par le biais, entre autres, de son système informatique qui lui a fourni des renseignements de première main. C'est ainsi qu'il réussit à localiser les installations, enfouies à un kilomètre de profondeur, sous le site de la mésa d'Archuleta sur la réserve indienne des Apaches de Jicarilla près de Dulce au Nouveau-Mexique. Cette zone représente, depuis 1976 une des régions des États-Unis les plus durement touchées par les mutilations. Le professeur Bennewitz en est venu à la conclusion qu'il s'agit là d'une entreprise conjointe faisant partie d'un programme de coopération continue entre l'État et les aliénigènes.

(Des installations souterraines existent aussi sous les bases militaires de Kirtland et de Holloman, de même que sous des dizaines d'autres à travers le monde, dont celle de Bentwaters, en Angleterre.)

Après avoir confié ses trouvailles à des représentants officiels de l'Armée de l'air, le professeur Bennewitz fut invité à visiter la base. Située à 4 km au nord-ouest de la ville de Dulce, qu'elle surplombe légèrement, elle est accessible par une autoroute gouvernementale large d'une dizaine de mètres et construite à la surface du sol. On peut y voir des caravanes pourvues d'équipements télémétriques ainsi que des immeubles pentagonaux surmontés d'une coupole près desquels sont postés des limousines noires – des véhicules de la C.I.A. – qui vous prendront en chasse si vous essayez de pénétrer cette zone. Plus au nord s'étend une aire de lancement où sont rivées au sol les épaves de deux aéronefs longs de dix à onze mètres et mus à l'énergie nucléaire à partir de grains de plutonium dont le ravitaillement était effectué à Los Alamos. Ils comportent des ailes ainsi que des réservoirs d'oxygène et d'hydrogène. (Certains appareils en forme de disques seraient pilotés par des membres la N.S.A. !)

La base, longue de 1,2 km, existe depuis 1948. Des hélicoptères y vont et viennent sans interruption. Le jour où l'on apprit que le professeur Bennewitz était au courant de leurs activités, les mutilations cessèrent dans la région.

Le dossier Dulce

Un jour, la base fut temporairement fermée à la suite d'un différend que les aliénigènes avaient réglé par les armes, tuant soixante-six de nos gens. Parmi les quarante-quatre autres qui en avaient réchappé se trouvait un agent de la C.I.A. ayant réussi à emporter dans sa fuite des notes, des photographies et des films. Il se terre depuis lors et, à tous les six mois, donne signe de vie à cinq personnes de confiance qui conservent par-devers elles un exemplaire de ces documents. Suivant ses directives, s'il devait lui arriver de sauter quatre rencontres consécutives, ces personnes pourraient disposer de ces preuves comme bon leur semblerait.

Après que cet agent eut contacté MUFON, une description du dossier Dulce fut mise en circulation et, pour une raison ou une autre, envoyée à plusieurs chercheurs en décembre 1987. Le dossier est composé de vingt-cinq photos en noir et blanc, d'un film sans narration et d'un ensemble de documents comportant de l'information technique relativement aux installations occupées conjointement par le gouvernement américain et les aliénigènes sous la mésa d'Archuleta. Cette base est toujours opérationnelle. On croit qu'il en existe quatre autres du même type, dont l'une à quelques kilomètres au sud-est du lac Groom, au Névada.

« Sommairement, le dossier Dulce contient de la documentation surtout sur le cuivre, mais aussi sur le molybdène, le magnésium et le potassium. Il renferme en outre des feuilles illustrant des tableaux et d'étranges diagrammes, et des sections traitant de lumière ultraviolette et de rayons gamma.

« Certains documents exposent les objectifs des aliénigènes et l'usage qu'ils font de leurs captures. D'une part, ils se servent du sang des bovins pour se nourrir. Ils en absorbent les particules en y trempant les mains comme à l'aide d'éponges. D'autre part, ils créent des spécimens de laboratoire en modifiant la chaîne d'A.D.N. des animaux ou des hommes capturés. Ils réussissent, en transformant les liaisons chromosomiques, à créer des « êtres presque humains ». Les créatures de « type 1 » sont des clones lents et malhabiles, faits de tissus animaux et conditionnés par une mémoire informatisée à partir de véritables êtres humains, lesquels sont utilisés pour l'apprentissage de ces clones ainsi que pour la réalisation d'expériences et de croisements avec ceux-ci. Quelques-uns des êtres humains sont entièrement mobilisés alors que d'autres sont conservés vivants dans un liquide ambré à l'intérieur de larges cylindres. D'autres encore sont soumis à un lavage de cerveau avant d'être relâchés pour aller diffuser une information non conforme à la vérité.

« Les individus de sexe masculin considérés comme de bons reproducteurs sont maintenus en vie, et leur semence est employée pour engendrer des êtres asexués de « type 2 » à partir d'une modification de la chaîne d'A.D.N. Après maturation selon un certain procédé, ce sperme subit une nouvelle transformation avant d'être déposé dans des utérus.

« Les spécimens ainsi engendrés ne mettent que trois mois à croître du stade fœtal à la pleine maturité. Aux premiers temps de leur croissance, ils sont littéralement hideux comme des avortons mais, devenus adultes, ils ressemblent à un être humain normal. Leur longévité est inférieure à une année. D'innombrables femmes ayant servi à leur reproduction ont été mises enceintes à leur insu. Quelques-unes, toutefois, ont un vague souvenir d'un certain contact. L'organisation cellulaire des fœtus n'étant qu'à demi humaine, ceux-ci ne pourraient survivre dans le sein de ces mères porteuses. Aussi les grossesses sont-elles interrompues au bout de trois mois et les fœtus emportés ailleurs pour terminer leur développement et subir les modifications génétiques nécessaires à la création des deux types de créatures. Certaines femmes sont mises enceintes à bord des vaisseaux, d'autres chez elles pendant leur sommeil, et les géniteurs extranéens peuvent les inséminer sans avoir à prendre une forme visible. »

Voilà, en résumé, le sujet du dossier Dulce. Les exemplaires comprennent aussi des reproductions à l'encre de quelques-unes des photos prises dans les laboratoires, une illustration (5 cm × 10 cm) de l'un des utérus, une autre de l'un des incubateurs dans lesquels se développent les « êtres presque humains », une page montrant une esquisse d'un métal cristallin fait d'or pur, et une autre page ayant l'apparence d'un diagramme génétique ou d'un tableau des métaux. Une annexe fait voir un tracé de ce qui semble être la diffraction des rayons X ainsi qu'un graphique de cristaux hexagonaux accompagné d'une annotation signalant leur exceptionnelle conductibilité électrique.

Il semblerait que la seconde partie de ces exemplaires concerne le métal supercristallin qui compose la structure de la coque des astronefs, ou quelque chose du même genre.

Cette thèse, évidemment, peut sembler saugrenue à un certain point de vue – à tout point de vue, à vrai dire – et, pourtant, elle est corroborée par une multitude de témoignages étalés sur de nombreuses années et – fait encore plus significatif – confirmée par le déroulement actuel des événements. En effet, aux multiples bases et réseaux de corridors souterrains existant déjà s'ajoutent les nombreux autres qui sont jour après jour en voie de construction. Des histoires comme le *Voyage au centre de la Terre* et des légendes comme celle des kobolds – gardiens des métaux précieux –, pour fictives qu'elles soient, ne sont toutefois pas dénuées d'un fond de vérité, car il est absolument vrai que des cités complètes ont été érigées sous terre il y a fort longtemps (mais celles-ci n'ont cependant aucun rapport avec les bases souterraines mentionnées dans le présent exposé).

Déjà plus de mille individus, et ce aux États-Unis seulement, sont les rejetons de parents extranéens et humains – MUFON connaît une personne dont le fils en est un. Depuis les temps préhistoriques, l'humanité a constamment subi des manipulations génétiques et des croisements raciaux qui lui ont permis d'évoluer par mutations progressives en se débarrassant peu à peu de ses traits simiens originels. Les Grands Blonds ont aussi, de tout temps, joué un rôle dans notre évolution. Il n'est donc pas surprenant de constater aujourd'hui qu'une partie de leur sang coule dans nos veines.

Un Centre de technologie extranéenne

Le populaire magazine militaire *Gung-Ho* faisait paraître, dans le numéro de février 1987, un article sur le développement d'une mystérieuse technologie.

> « Il s'agit de projets d'un niveau tellement avancé qu'un officier de l'Armée de l'air, naguère engagé dans le développement du SR-71, l'avion le plus perfectionné à l'heure actuelle, en a parlé dans les termes suivants : « Nous effectuons présentement des vols d'essai sur des appareils qui défient toute description et dont le concept est aussi éloigné de celui du SR-71 que le principe de la navette spatiale peut l'être de celui du parachute de Léonard de Vinci. »

> « De nombreux autres officiers ne se gênent pas pour faire l'éloge de ce nouveau programme avec tout autant d'emphase, comme en témoignent ces propos d'un colonel à la retraite : « Nous possédons des appareils et des instruments dont la plupart des officiers d'état-major ne seraient même pas en mesure de comprendre le mode de fonctionnement, tellement ces principes sont « étrangers » à notre logique habituelle. »

« Des rumeurs laissent entendre que cette technologie s'appuie sur l'étude des champs de force et des systèmes gravitationnels, et sur la morphologie des « soucoupes volantes ». On ajoute que cette technologie n'est pas nécessairement d'origine humaine et terrestre, mais tout le monde se fait discret quand il est question de révéler d'où elle provient.

« Un ancien ingénieur de la société Lockheed a une façon bien originale d'en parler : « Nous faisons actuellement voler des appareils, dans le désert du Névada, devant lesquels George Lucas lui-même serait béat d'admiration. »

L'auteur de l'article conclut sur ces paroles ahurissantes :

« Depuis plusieurs années déjà, l'Armée de l'air maintient à Nellis une unité spéciale dont le nom est très révélateur : *Alien Technology Centre* (« Centre de technologie extranéenne »). Il semblerait qu'on y ait obtenu de l'équipement et parfois même de l'aide de la part d'aliénigènes qui auraient ainsi contribué au développement stratégique du programme aérospatial de la Guerre des Étoiles. Je sais que tout cela peut vous paraître insensé, mais je puis vous affirmer que ces rumeurs sont tout à fait fondées. Ce Centre de technologie extranéenne n'est absolument pas de la fiction ; il existe réellement. Pour ma part, je crois qu'il y est pour beaucoup dans le revirement subit de la politique soviétique à notre égard. Comment s'en étonner quand on sait que le SR-71, le meilleur avion au monde à l'heure actuelle, accomplissait déjà des vols expérimentaux secrets en 1963 ? Croyez-vous donc vraiment que, quelque vingt-cinq années plus tard, le F-16 soit devenu le plus perfectionné de nos chasseurs ? »

Je ne vous ai donné ici qu'un tout petit aperçu de cet article, car il nous livre une foule d'autres révélations. En fait, les informations à l'appui de cette thèse nous parviennent maintenant avec une telle fréquence que je ne serais pratiquement pas étonné de croiser des aliénigènes dans la rue d'ici peu. De toute façon, je suppose qu'il en va de même pour vous. À tout le moins, nous sommes certains qu'il se trame présentement quelque chose, et peut-être pas dans notre meilleur intérêt.

Quoi qu'il en soit, la solution de notre avenir ne réside sans doute pas dans les réponses que nous souhaitons. Il vaudrait mieux commencer par réviser notre conception unidimensionnelle de la réalité, car comment peut-on espérer parvenir à une solution juste quand les données du problème ne sont que partielles ?

RAPPORTS ENTRE GRANDS BLONDS, PETITS GRIS ET HOMMES EN NOIR

Voici quelques observations complémentaires rapportées, encore une fois, par George Andrews dans son « Étude taxinomique des aliénigènes ».

À partir des directives qu'ils ont reçues des aliénigènes de Rigel – les Petits Gris –, d'anciens hommes de sciences nazis ont réussi, de concert avec la C.I.A., à développer des formes malignes de bactéries et de virus, dont celui du sida, en vue d'éliminer les éléments indésirables de la population humaine.

Les aliénigènes ne ressentent par eux-mêmes pratiquement aucune émotion. Par contre, ils parviennent à obtenir un paroxysme d'excitation en syntonisant télépathiquement nos émotions les plus intenses, par exemple dans nos moments de grande euphorie et d'extase, voire par le biais de nos sensations érotiques, ainsi que dans nos périodes de profonde détresse et d'angoisse. Peut-être est-ce là la raison pour laquelle la présence d'ovnis a constamment été signalée dans les régions où sévissent des guerres et des conflits.

Si les Petits Gris ont la faculté de se projeter mentalement sous la forme de Grands Blonds, ceux-ci, par contre, ne se manifestent jamais sous l'apparence de Petits Gris. D'un autre côté, quelques-uns des Grands Blonds aperçus dans l'entourage des Petits Gris étaient bel et bien réels.

Ces derniers étaient prisonniers des Petits Gris qui les avaient pour ainsi dire neutralisés en détruisant leur pouvoir de se téléporter à travers le temps et d'autres dimensions.

Les Petits Gris et les Grands Blonds sont tous deux capables de désintégrer la matière en énergie, puis de réintégrer l'énergie en matière. C'est pourquoi ils peuvent passer à travers les murs et kidnapper des automobilistes sans même avoir besoin d'ouvrir les portières.

Les Grands Blonds sont les premiers habitants du système de Rigel, l'étoile bêta de la constellation équatoriale d'Orion, dont Bételgeuse est l'étoile alpha. Ce sont eux qui ont ensemencé la Terre à ses débuts. Par la suite, ils ont été envahis par la race parasitaire des Petits Gris qui s'est mêlée à la leur. C'est en raison de cette origine commune que l'humanité terrestre représente un tel intérêt à la fois pour les Grands Blonds et les Petits Gris.

Les Grands Blonds habitent maintenant le système de Procyon, l'étoile alpha de la constellation boréale du Petit Chien. Le conflit qui les oppose aux Petits Gris connaît actuellement une période de trêve, alors que de vifs combats font présentement rage entre les Rigéliens et les habitants du système de Sirius, l'étoile alpha de la constellation australe du Grand Chien.

Shamballa et l'Oeil d'Horus

Selon John Keel, les Hommes en noir ont souvent affirmé être des représentants de la « Nation du Troisième Oeil ». Il semble évident d'autre part, que Sirius joue depuis longtemps un rôle capital dans la destinée humaine. Dans son livre intitulé *Other Tongues, Other Flesh*) (« Autres langues, autres chairs ») ; George Hunt Williamson, un de premiers contactés, écrit que les alliés terrestres de Sirius, c'est-à-dire les sociétés secrètes, ont adopté pour emblème l'Oeil d'Horus. Par ailleurs, ce symbole a déjà été aperçu en liaison avec les Hommes en noir, et les sociétés secrètes croient en l'existence d'une Grande Loge Blanche sur terre, qu'elles désignent sous le nom de Shamballa et qu'elles considèrent comme le pôle spirituel de la planète.

Or, les théosophes – Alice Bailey, entre autres – situent la Grande Loge Blanche dans le système de Sirius. Si, donc, cet « œil qui voit tout » est le symbole des alliés de Sirius sur terre, si les Hommes en noir portent cet insigne et si Shamballa représente la Grande Loge Blanche ici-bas, ainsi les Hommes en noir seraient des émissaires de Shamballa. Sirius et Shamballa seraient les deux faces de la même médaille.

Par contre, dans son ouvrage intitulé *The Undiscovered Country* («Le Pays inconnu»), Stephen Jenkins rapporte que les prêtres bouddhistes situent Shamballa dans la constellation d'Orion. Cette croyance entre donc en contradiction avec celle des théosophes, puisque Rigel (Orion) est en guerre contre Sirius. Voilà qui complique le tableau... à moins que les Petits Gris soient là-dessous pour nous induire en erreur avec le concours des Hommes en noir.

Certains affirment que l'entrée de Shamballa se trouve au cœur du désert de Gobi dans le sud-est de la Mongolie. On y a rapporté de nombreux écrasements d'astronefs et l'existence de plusieurs bases. Néanmoins, c'est habituellement dans la chaîne hymâlayenne qu'on la situe. L'explorateur Nicolas Rœrich a découvert, au pied de ces montagnes, des cavernes et des passages souterrains, dont l'un est bloqué par une porte en pierre qui n'a jamais été ouverte parce que «le temps n'est pas encore venu». Doreal, qui fonda en 1930 la Fraternité du Temple Blanc, prétend que cette entrée est enfouie profondément sous terre. Il ajoute que l'espace se replie autour de Shamballa et que cette courbure donne immédiatement accès à un autre univers.

État psychologique actuel des Petits Gris

Dans son rapport original présenté au gouvernement et intitulé *Projet Bêta*, le professeur Paul Bennewitz a analysé le comportement des Petits Gris.

Peut-être est-ce un trait de leur évolution ou parce que les types humanoïdes sont «fabriqués», toujours est-il que les Petits Gris manifestent des déficiences au niveau de la logique et sont plus fragiles, à cet égard, que l'*Homo sapiens* normal. Ils ne sont pas dignes de confiance. En raison de leur mode particulier de fonctionnement mental, ils sont incapables de prendre une décision importante sans en référer à plus haut. Ils s'en remettent tous à ce qu'ils appellent «le Gardien», mais cet arbitre ne représenterait toutefois pas la plus haute autorité. Une décision peut parfois subir ainsi un délai de douze à quinze heures avant d'être prise. Cette domination semble aussi limiter leur aptitude à prendre une décision personnelle spontanée. La moindre anicroche, le moindre incident à survenir dans l'exécution d'un plan, les affole au point de perdre complètement le contrôle. Le cas échéant, les androïdes seraient les premiers à s'enfuir.

Ils respectent entièrement toute force qui les domine. Ils se sont toujours servis de la pensée en croyant que leur supériorité résidait dans sa manipulation et son contrôle. Or, nous avons découvert qu'il s'agissait précisément de leur point le plus faible. Après les avoir bien observés et mis à l'épreuve, nous avons pu en effet démontrer qu'il suffisait de renverser le processus psychologique pour qu'ils se retrouvent aussitôt confrontés à une situation devant laquelle ils faisaient preuve d'une très grande vulnérabilité.

Les Petits Gris semblent consacrer la totalité de leurs énergies à s'occuper de *la mort*, au point qu'ils sont devenus entièrement obsédés par la *peur de mourir*. Ce facteur constitue aussi pour nous un net avantage psychologique. Leur propre faiblesse inhérente résultant de cette vulnérabilité psychologique les pousse à une excessive méfiance les uns envers les autres. Le moral de leurs troupes est sur le point d'éclater. De profondes dissensions se manifestent déjà dans leurs rangs, même envers les androïdes.

UN MONDE PARALLÈLE

Ivant T. Sanderson a dressé une liste exhaustive de toutes sortes d'objets qui nous sont tombés du ciel depuis des millénaires, des objets aussi hétéroclites que de gigantesques colonnes en pierre ou de lourdes roues en métal à l'époque romaine. Dans la majorité des cas, cependant, il s'agit de substances terrestres ordinaires telles que du magnésium, de l'aluminium, du chrome et même de la vulgaire tôle.

Une grande quantité de mystérieuses sphères provenant de l'espace se seraient écrasées un peu partout à la surface du globe, dont trois dans un désert d'Australie où elles furent découvertes en 1963. D'un diamètre d'environ 35 cm, elles étaient constituées d'un métal poli et brillant qu'il fut impossible de transpercer. Elles sont actuellement conservées par l'Armée de l'air américaine. En 1967, deux autres tombèrent du ciel, une au Mexique et l'autre à Conway, en Arkansas. Les analyses révélèrent que la première était en titane et la seconde en acier inoxydable. En 1966 et 1967, il s'abattit une véritable pluie de plus petites boules de différentes couleurs sur la campagne française.

Un autre manège auquel les aliénigènes semblent s'adonner avec un malin plaisir concerne un scénario apparemment anodin mais qui se déroule avec une telle régularité qu'il est impossible de ne pas conclure à un coup monté. À partir de 1897, en effet, des centaines de témoins – dont, très souvent, des personnes tout à fait dignes de confiance – ont rapporté avoir vu des ufonautes occupés à quelque réparation sur leur ovni amarré au sol. Or, les descriptions concordent toutes jusque dans le moindre détail, comme si ces aliénigènes exécutaient des manœuvres réglées d'avance selon un plan soigneusement répété.

L'ensemble de ces témoignages se résume généralement à trois races d'aliénigènes :

1) des êtres d'apparence humaine, y compris des femmes ;
2) des individus de type oriental avec le teint foncé ;
3) des créatures impossibles à identifier parce que, de toute évidence, elles cherchaient à tout prix à esquiver les regards.

Le plus cocasse dans cette affaire, c'est que, d'un point de vue statistique, malgré une surabondance de données, ces comptes rendus sont tenus pour irrecevables car, paradoxalement, leur analyse révèle que, dans la plupart des cas, les soucoupes volantes correspondent à des appareils trop peu définis. On n'en connaît même pas le mode de fonctionnement et on ne sait même pas, par exemple, si celles-ci ont besoin de carburant pour voler. Selon toute vraisemblance, elles n'existent pas de la même manière que les pages de ce livre et il n'est pas impossible qu'elles soient le produit d'une transmutation interdimensionnelle de l'énergie.

Dans une large mesure, le phénomène ovni semble faire appel à l'élément subjectif de la perception humaine. S'il est indéniable que nos sens peuvent subir toutes sortes d'impressions déformées de la réalité objective quand ils sont soumis aux pouvoirs de suggestion d'un simple magnétiseur, il est d'autant plus certain que des illusionnistes comme les aliénigènes, dotés d'un savoir encore plus avancé, peuvent se jouer de nous en manipulant le substrat énergétique d'une matière dont nous ne connaissons pratiquement rien. Aussi aurions-nous intérêt à essayer de comprendre la nature de la réalité elle-même davantage que le phénomène observé, sans quoi celui-ci ne fera que nous embrouiller toujours plus. À preuve, des milliers de photographies d'ovnis ont été prises depuis 1882 et pourtant, sauf de rares exceptions, elles n'en montrent pas deux qui soient identiques. Les témoignages nous confrontent donc à une alternative insoutenable :

— ou bien tous les témoins sont soit naïfs soit menteurs ;
— ou bien quelque civilisation inconnue déploie des efforts prodigieux pour nous impressionner en fabriquant des milliers d'appareils de types différents et en les envoyant tous en exhibition sur notre planète.

À quelques variantes près, tous les gouvernements du monde, bien sûr, donnent ouvertement crédit à la première proposition alors que les adeptes de la réalité extra-terrestre, quant à eux, appuient la seconde. Toutefois, le langage informatique pourrait bien nous en fournir une troisième – fort raisonnable pour peu qu'on soit rationnel – se fondant sur la dyade « matériel/logiciel » (« *hardware/software* »).

Il n'est plus question, aujourd'hui, de mettre en doute l'existence matérielle des ovnis. Les traces qu'ils ont laissées sur le sol à plusieurs endroits en constituent une preuve irréfutable, sans compter que plusieurs témoins crédibles leur ont touché et que certains sont même montés à bord. Ces appareils auraient beau n'être que des matérialisations éphémères à partir d'une autre dimension, ce sont néanmoins des objets bel et bien tangibles, concrets, « matériels ».

Par contre, cette concrétion sur notre « imprimante » planétaire sous-tend une myriade de données dont le traitement a été minutieusement planifié par de savants programmeurs et habilement conçu en fonction d'une application précise par les candides utilisateurs que nous sommes. C'est donc au niveau plus subtil du logiciel que réside la clé du mystère, dont il nous est donné un léger aperçu dans les nombreux témoignages qui font état de la propriété polymorphe des ovnis. Plusieurs témoins, en effet, ont été abasourdis de voir des appareils se transformer subitement devant eux, changer de forme et de dimension et se comporter avec la motilité d'un être vivant plutôt qu'à la façon statique d'une machine.

Un phénomène de réflectivité

Il est hors de doute que, dans notre étang terrestre, nous ne soyons que du menu fretin pris au filet de malicieux pêcheurs extranéens qui cherchent simplement à nous taquiner en faisant flotter dans notre atmosphère fluide des appâts d'une autre dimension.

De toute évidence, on se paie notre tête quelque part en nous narguant à partir de nos propres systèmes de référence. Les fidèles suppôts de Satan ont maintenant fait place aux mystérieux Hommes en noir. Je crois que nous avons tort de négliger les aspects philosophique et théologique du phénomène ovni au profit du seul point de vue matérialiste de la science moderne. Il est certain que ce problème déborde le domaine de la pure physique et nous renvoie tout droit aux enseignements de la Tradition.

Les annales de l'Histoire humaine rapportent que, lors d'une bataille entre les Assyriens et les Hébreux en 687 av. J.-C., « un éclair jaillit du ciel » et réduisit en cendres les corps de 185 000 Assyriens tout en laissant leurs vêtements intacts.

Il semble qu'à notre insu la planète Terre soit la résidence de deux races d'aliénigènes qui, loin d'être des visiteurs, seraient ici depuis plus longtemps que nous et auraient élu domicile dans les océans. L'une des deux races aurait été pratiquement exterminée par celle des Serpents, dont le sigle est simplement un S. Ces derniers se repaissent de viande rouge et sont extrêmement matérialistes et avides de pouvoir.

Selon Max H. Flindt, il est évident que l'*Homo sapiens* n'est pas la seule créature intelligente de l'univers. Il soutient que le cerveau humain n'a pu se développer qu'à la suite de croisements génétiques entre l'Homme évolutionnaire préhistorique et des aliénigènes plus évolués. D'après lui, la tendance schizoïde de certains individus serait causée, en partie, par le souvenir inconscient de leur origine raciale extranéenne dont ils auraient, pour ainsi dire, la nostalgie. Il existe une différence considérable entre le système neuro-glandulaire de nos ancêtres évolutionnaires et celui de nos ancêtres extranéens. C'est ce qui expliquerait la tension traumatisante que les sujets éprouvent lors des expériences de régression hypnotique. Notre civilisation a perdu le contact avec les autres formes d'intelligence de l'univers, à tel point qu'elle a même oublié jusqu'à leur existence.

Bien avant l'apparition de l'*Homo sapiens*, la Terre était occupée par des êtres paraphysiques capables de transmuter la matière. Il convient de souligner ici que, depuis longtemps déjà, les parapsychologues voient dans ce pouvoir la cause du phénomène de paralysie que les contactés subissent lors de certaines rencontres. Dans une large mesure, c'est l'énergie même des contactés qui permettrait à leurs visiteurs interdimensionnels de se manifester physiquement à eux.

John Keel a étudié des centaines de cas qu'il a soumis à des psychiatres qualifiés. Selon ces derniers, les jeunes gens qui nourrissent une véritable obsession à l'égard des phénomènes paranormaux finissent par accumuler un potentiel d'énergie psychique que les entités invisibles ont beau jeu d'utiliser à leur guise pour les effrayer, allant même jusqu'à les suivre dans de mystérieuses Mercedes ou Cadillac noires qui apparaissent puis disparaissent subitement. Ce phénomène en est un de « réflectivité » : plus la victime est terrifiée, plus les apparitions sont fréquentes.

Une intelligence supérieure qui voudrait établir un contact avec une forme inférieure est forcément confrontée au fait de devoir « s'ajuster » au système de référence de cette dernière pour parvenir à lui communiquer des données qui lui soient compréhensibles. C'est pourquoi le phénomène ovni semble si souvent compter avec la réflectivité en s'adaptant délibérément aux croyances et aux processus mentaux des témoins. Il suffit qu'un ufologue se concentre sur un aspect du phénomène et qu'il en élabore une théorie particulière pour qu'une foule de témoignages vienne aussitôt corroborer ses hypothèses.

Pour démontrer ce principe de réflectivité, John Keel a mené des expériences inusitées qui ont confirmé le fait que, dans une large mesure, il est facile de duper les gens et de leur faire prendre des vessies pour des lanternes. Alors même qu'ils sont de bonne foi dans leur recherche de la vérité, les témoins provoquent à leur insu l'erreur dont ils sont victimes, tout simplement parce que leur point de vue est faussé dès le départ. C'est ainsi que l'humanité a progressé en transportant allégrement, de génération en génération, des croyances erronées qui lui ont servi de marchepied pour s'élever inconsciemment vers une vérité de plus en plus complexe. Par contre, une grande partie de ces faussetés aura malheureusement permis de faire plus de mal que de bien en créant toujours plus de confusion. Mais, selon toute vraisemblance, il faut croire que ce plan a été dicté par la sagesse puisque l'humanité ne semble pas avoir les reins suffisamment solides pour ne pas crouler sous le poids de la vérité. Aussi a-t-il toujours fallu la lui instiller à petites doses.

De la même manière, aujourd'hui, le phénomène ovni nous livre peu à peu certains aspects des mondes parallèles, des mondes dont les grands initiés nous ont pourtant révélé l'existence depuis des temps immémoriaux. La Terre est couverte de fenêtres qui donnent accès à ces mondes. Si nous disposions d'instruments capables de les détecter, nous découvririons que ces fenêtres sont traversées par des ondes à très haute fréquence qui correspondent aux fameux « rayons » de la Tradition initiatique, censés provenir d'Orion ou des Pléiades.

On sait que les lois naturelles répondent à un principe d'équilibre. Or, il semble que l'on retrouve le même rapport de forces en ce qui a trait au phénomène ovni. Si certaines personnes sont décédées à la suite d'une exposition trop forte aux rayons gamma et ultraviolets émis par les astronefs, de nombreuses autres, par contre, ont été guéries de leurs maux en étant pourtant exposées aux mêmes rayons.

Exception faite des entités maléfiques spécialement conçues pour exécuter des activités sordides à titre d'incubes et de succubes, la plupart de nos visiteurs de l'espace paraissent plutôt bienveillants à notre égard. Ces êtres « célestes », dans la majorité des cas, sont pour ainsi dire asexués et indépendants de toute forme structurée d'organisation sociale. Néanmoins, ils reflètent une profonde paix intérieure et semblent vivre en parfaite harmonie, comme si chaque individu constituait une unité qui s'insérerait instinctivement dans l'ensemble en se soumettant volontiers à un principe immanent d'intelligence collective. Des êtres ainsi asservis à un ordre supérieur font figure, à nos yeux, d'esclaves privés de libre arbitre, d'autant plus que, dans leurs communications, ils font souvent allusion à leur condition en disant qu'ils « font un » ou qu'ils « sont captifs ».

Une démonstration à Fatima

Le 13 mai 1917, alors qu'ils s'amusaient dans les prés connus sous le nom de Cova di Iria (« Fosse d'Irène ») non loin de Fatima au Portugal, trois jeunes bergers aperçurent un éclat lumineux dans le ciel pourtant clair du printemps. Croyant néanmoins qu'il s'agissait d'un éclair, ils coururent se réfugier à l'abri d'un arbre mais, aussitôt arrivés sous le feuillage, ils restèrent paralysés d'étonnement à la vue d'un brillant globe de lumière qui flottait au-dessus d'un arbuste voisin dont la cime atteignait à peine un mètre de hauteur.

Au centre du halo se tenait un être qui semblait drapé dans une scintillante robe blanche. Son visage rayonnait d'un éclat aveuglant. Ce personnage, qui affirmait venir du ciel, demanda aux enfants de revenir au même endroit le 13 de chaque mois pendant les cinq mois suivants.

Lors de la dernière rencontre, le 13 octobre, devant une foule estimée à 70 000 personnes, un immense disque en argent surgit tout à coup des nuages et descendit vers ces gens jusqu'à une certaine altitude qu'il conserva pendant une dizaine de minutes, sans cesser un seul instant d'exécuter un mouvement giratoire qui le faisait apparaître tour à tour « de toutes les couleurs de l'arc-en-ciel ». Des témoins ont aussi rapporté qu'ils le voyaient nettement depuis des endroits situés à des kilomètres de là.

De toute évidence, l'incident de Fatima représente la démonstration d'un plan soigneusement orchestré et délibérément exécuté. Les messages ultra-secrets qui y ont été communiqués sous forme de prophéties ont été minutieusement retranscrits et sont présentement conservés sous scellé dans les voûtes du Vatican. S'il s'agit d'une mission extranéenne concernant la fin du monde, on ne peut pas dire qu'elle ait particulièrement réussi puisque le monde n'a toujours pas été mis au courant de ces fameuses prédictions qui étaient censées lui être révélées en 1960. Il semblerait que ce genre de démonstration remportait plus de succès à l'époque biblique que de nos jours. Quand un pape ne règne que trente jours parce qu'il menace de lever les scellés, il devient évident que les temps ont bien changé et que le monde est régi sur un tout autre mode.

Le 2 juillet 1961, un événement analogue est survenu à Garabandal. Cette fois-ci, cependant, les témoins ont relaté un détail qui ne manquera certes pas de vous étonner, à la lumière de ce que vous savez maintenant. Il est dit, en effet, que « les visiteurs arboraient au côté droit un carré rouge feu encadrant un triangle au milieu duquel apparaissaient un œil et des mots dont la graphie correspondait à une antique écriture orientale » !

N'y aurait-il pas lieu de faire un lien entre cet emblème, l'Insigne trilatéral, la Nation du Troisième Oeil – l'Oeil d'Horus – et les Hommes en noir ?

L'Opération « Cheval de Troie »

Au fur et à mesure que nous décortiquons une à une les données pour le moins fantaisistes du problème de la présence extranéenne et que nous analysons chacune le plus objectivement possible sans en négliger aucune, nous sommes peu à peu confrontés à un ensemble de coïncidences bizarres et de paradoxes inquiétants qui ne font que compliquer encore davantage cette énigmatique réalité. Devant les faits qui ont été rapportés tout au long de l'Histoire, il ne nous faudrait surtout pas être dupes de la ruse de ces visiteurs soi-disant amicaux, car le séduisant « cheval de Troie » grâce auquel ils ont réussi à s'immiscer parmi nous ne semble guère camoufler des intentions moins hostiles que celui de l'Antiquité, si l'on tient compte des facteurs suivants :

— Les aliénigènes ont toujours manifesté une préférence marquée pour les manœuvres clandestines, choisissant les heures sombres de la nuit et les régions moins peuplées pour exercer leurs furtives et mystérieuses activités tout en étant le moins possible susceptibles d'être dénoncés.

— La plupart du temps, ils confèrent à leurs objets volants une apparence qui ne risque pas d'attirer notre attention ou pour laquelle, à tout le moins, nous pouvons trouver une explication satisfaisante en croyant qu'il s'agit, par exemple, d'un dirigeable, d'un météore ou même, tout simplement, d'un avion conventionnel.

— Les appareils présentant un aspect inusité constituent à coup sûr une infime minorité dans l'ensemble des fallacieux objets paraphysiques qui sillonnent notre atmosphère.

En somme, les soucoupes volantes ne sont pas du tout ce à quoi nous nous attendions. Elles font partie d'un plan d'intervention que nous ignorons et que John Keel a baptisé « Opération Cheval de Troie ».

À force d'éplucher les travaux des ufologues, on finit par se demander si les aliénigènes n'ont pas tout bonnement recours aux schèmes de référence en usage à une époque donnée pour produire délibérément sur ses contemporains des impressions qui leur sont adaptées. C'est ainsi que le phénomène ovni a revêtu une connotation religieuse jusqu'au milieu du siècle dernier, après quoi il a dû emboîter le pas à l'ère industrielle pour correspondre aux tendances de la technologie moderne qui, avec ses concepts matérialistes, allait balayer les anciennes croyances.

Les témoignages n'étaient pas plus nombreux en 1947 qu'en 1847 ; ils étaient simplement différents. Notre point de vue ayant changé, nous croyons voir autre chose. Les théâtres de marionnettes à ficelles ont fait place aux arcades de jeux électroniques ; les artifices sont d'une autre nature, mais ils découlent dans un cas comme dans l'autre du même principe illusionniste.

C'est à croire que ce phénomène ne sert qu'à nous piéger dans nos propres illusions en se moulant à nos croyances. Les ufologues sont ainsi perpétuellement relancés de Charybde en Scylla comme si aucune piste, malgré des évidences flagrantes, ne conduisait ailleurs qu'à des non-sens.

Force nous est d'admettre que les prétendues preuves d'atterrissages d'ovnis ne serviront tout au plus qu'à nous enliser davantage dans notre système de référence matérialiste tant et aussi longtemps que nous n'aurons pas accédé à une autre conception de la réalité objective, car il est temps de comprendre que ces manifestations « paranormales », tout en s'appuyant sur notre définition de la réalité, ne contribuent en rien à ratifier l'authenticité de cette définition. Il nous aurait fallu, au contraire, nous en servir depuis déjà fort longtemps pour remettre en question notre mode de perception de la vie, de l'univers et de nous-mêmes. Tant que nous ne changerons pas notre vision des choses, celles que nous jugeons inexplicables resteront effectivement inexpliquées.

Nous avons encore le loisir, pendant que le soleil brille, de profiter du sable pour faire l'autruche tout en bronzant. Mais il ne faut pas oublier que, même s'il fait bon chanter « aux temps chauds », nous n'aurons guère le cœur à danser « quand la bise sera venue ».

CONCLUSION

Si je me suis permis de publier ce rapport, c'est d'abord et avant tout parce que je suis profondément indigné de voir tant de mes semblables souffrir inutilement depuis tant d'années sous la domination outrageante d'une poignée d'individus qui ont osé transiger notre destinée en échange d'une puissance technologique qui leur assurait ainsi encore plus de pouvoir. Les gens font toujours ce qu'il leur semble bon de faire et, bien entendu, ceux qui ont pactisé avec les aliénigènes croyaient sans doute agir pour le mieux ; mais cela ne les justifie pas pour autant, car la plus grande injustice n'est-elle pas celle qui consiste à faire payer aux autres le prix de ses propres dettes ?

S'il est un domaine où l'oppression triomphe, c'est bien celui de l'étude des énergies vitales, parce que la clé de la liberté humaine réside dans la CONNAISSANCE de soi et des autres. Or, rien ne favorise autant l'exercice du pouvoir que l'IGNORANCE et son corollaire la PEUR ! Combien de valeureux chercheurs ont été persécutés pour avoir voulu soulager l'humanité de ses maux en s'efforçant simplement de comprendre la nature fondamentale de l'être humain et de l'univers ?

Le véritable Temple de la renommée abrite des Wilhelm Reich, des Ruth Drown, des John Moray et une foule d'autres pionniers du même genre qui ont dû plus souvent qu'autrement se battre seuls contre l'inébranlable apathie d'une masse endormie par un système, dont le seul but est de maintenir le statu quo. Ceux qui sont au pouvoir n'ont d'autre intérêt que de préserver cette fabuleuse force d'inertie culturelle qui leur permet d'exercer impunément leur despotisme sur l'ensemble de la société et d'assouvir pleinement leur convoitise.

Il est urgent de comprendre que la conspiration fomentée par les aliénigènes n'a d'autre but que de nous ravir l'héritage spirituel de notre planète, « le trésor où se trouve notre cœur ». Ce bien suprême fait l'envie de certaines races de l'univers qui savent ce qu'il en coûte d'en être privé. Ces aliénigènes cherchent par tous les moyens à nous dérober notre patrimoine planétaire. Aussi est-il de toute première instance que nous prenions conscience de la valeur inestimable de notre richesse unique.

Je trouve intolérable que des individus sans scrupules s'arrogent le privilège de s'ingérer dans le destin d'une nation en lui subtilisant un gouvernement fantoche qui va jusqu'à endosser qu'on en supprime les meilleurs éléments. Je me dresse de toutes mes forces contre cette situation et je fais appel à votre solidarité morale, planétaire, voire cosmique, pour que le fruit de l'évolution humaine ne consiste pas en une condition de survie, mais plutôt dans la conquête et l'expression vivante du sens véritable de notre LIBERTÉ.

TABLE DES MATIÈRES

LE GOUVERNEMENT SECRET 7

ÉPILOGUE 45

OPÉRATION « CHEVAL DE TROIE »

AVANT-PROPOS 61

DEUX MESSAGES DE RONALD REAGAN 63

TAXINOMIE GÉNÉRALE DES ALIÉNIGÈNES 64

MUTILATION D'ANIMAUX

Chronologie générale 71

De mystérieux hélicoptères 73

Hélicoptères et ovnis 77

Déviations géomagnétiques et cycles lunaires 81

Un appareil antigravitationnel 82

L'INVASION 85

Point de vue d'un Grand Blond sur
l'invasion des Petits Gris 86

Début de la saga 89

L'Agence de sécurité nationale (N.S.A.) 91

L'Agence centrale de renseignements (C.I.A.) 93

Un incident à la station KNBC 37 94

Les contactés 96

L'OCCUPATION 97

    La conspiration 99

    Les bases souterraines 101

    Le dossier Dulce 103

    Un centre de technologie extranéenne 106

RAPPORTS ENTRE GRANDS BLONDS,
PETITS GRIS ET HOMMES EN NOIR 108

    Shamballa et l'Oeil d'Horus 109

    État psychologique actuel des Petits gris 110

UN MONDE PARALLÈLE 111

    Un phénomène de réflectivité 114

    Une démonstration de Fatima 117

    L'opération « Cheval de Troie » 118

CONCLUSION 121

Québec, Canada
1999